Les Antiquités égyptiennes II

Egypte romaine, art funéraire
Antiquités coptes

AUTEURS

Marie-France Aubert
Conservateur en chef au département
des Antiquités égyptiennes   Egypte romaine, art funéraire

Roberta Cortopassi
Chercheur rattachée au département
des Antiquités égyptiennes   Egypte romaine, art funéraire

Florence Calament-Demerger
Chercheur rattachée à la section copte   Antinoé dans les collections

Dominique Bénazeth
Conservateur en chef de la section copte,
au département des Antiquités égyptiennes   Antiquités coptes

Marie-Hélène Rutschowscaya
Conservateur en chef de la section copte,
au département des Antiquités égyptiennes   Antiquités coptes

ISBN 2-7118-3617-7
GG 10 3617

© Editions de la Réunion des musées nationaux
49, rue Etienne-Marcel - 75001 Paris, 2001

Les Antiquités égyptiennes II

Egypte romaine, art funéraire
Antiquités coptes

guide du visiteur

Réunion
des Musées
Nationaux

Avant-propos

Quinze siècles de l'histoire de l'Egypte, jusque-là mal connus ou méconnus, sont enfin présentés au Louvre dans des espaces magnifiquement rénovés, tant sur le plan architectural que du point de vue muséographique.

Le programme scientifique, élaboré par les conservateurs, permet une vision à la fois culturelle et artistique de cette période, soit au travers d'œuvres de très haute qualité esthétique, soit au travers d'objets plus modestes, témoins émouvants des activités journalières. Que ce soit au temps de Rome, à l'époque de Byzance ou sous les gouverneurs musulmans, l'Egypte a su admirablement s'adapter au contact des civilisations qui s'y sont succédé.

Dans l'importante collection du département des Antiquités égyptiennes, les conservateurs ont sélectionné, avec soin et avec un grand souci de clarté, les œuvres qui ont été disposées de chaque côté de la cour Visconti, selon un parcours à la fois chronologique et thématique.

Au moment où se meurt l'Egypte dite pharaonique, l'évolution vers d'autres formes artistiques se combine avec l'apparition de nouvelles croyances, dont l'une d'elles, le christianisme, fera de cette contrée sa terre d'élection.

Aussi, la rédaction d'un guide à part entière devenait indispensable : pas à pas, œuvre après œuvre, les conservateurs accompagnent le visiteur dans un monde passionnant pour son originalité et sa nouveauté.

Pierre Rosenberg
de l'Académie française
président-directeur du musée du Louvre

Préface

Dernière tranche de l'opération « Grand Louvre », la rénovation du département des Antiquités égyptiennes a donné l'occasion d'une nouvelle présentation des collections de l'Egypte romaine et copte ainsi que celles du Soudan antique. Elles continuent toutes à dépendre administrativement du département égyptien, mais il a été décidé de dissocier leurs lieux d'exposition. Ce choix a d'abord été dicté par le manque d'espace dans la partie la plus ancienne du palais, berceau historique du département où sont demeurées les œuvres pharaoniques. De cette difficulté est né un parti novateur : abandonner la présentation traditionnelle, chronologique, avec la suite des civilisations qui se sont succédé dans la vallée du Nil et faire de l'Egypte tardive le noyau d'un ensemble de salles consacrées à la Méditerranée orientale aux époques romaine et byzantine. C'est en effet dans ce contexte que sont nées et se sont épanouies les religions qui ont marqué l'histoire de l'humanité, en particulier le christianisme pour lequel l'Egypte fut une terre d'élection. Ainsi les magnifiques vestiges des monastères coptes pourront-ils être confrontés avec ceux de l'église syrienne de Qabr Hiram, jusque-là présentée au département des antiquités grecques, étrusques et romaines et qui prendra également place dans la cour Visconti.

On peut espérer que, dans un avenir proche, le visiteur bénéficie d'une présentation complète et emprunte un circuit chronologique. Mais dès aujourd'hui, il peut contempler l'admirable série des « portraits du Fayoum » présentés dans une salle aux proportions majestueuses ainsi que le précieux matériel funéraire romain d'Egypte, jusque-là fort négligé. Non loin de là, la section copte bénéficie d'espaces agrandis et rénovés permettant des présentations spectaculaires : on admirera tout particulièrement la grande « salle de Baouit » où se dresse désormais l'évocation d'une des plus belles églises du monastère égyptien de Baouit.

Un tel résultat ne peut être que le fruit d'un travail d'équipe. Tout d'abord la conservation du département des Antiquités égyptiennes qui a conçu le programme scientifique : Marie-France Aubert assistée de Roberta Cortopassi pour la section de l'Egypte romaine ; Marie-Hélène Rutschowscaya et Dominique Bénazeth, assistées de Cécile Giroire, Christiane Lyon-Caen, Florence Demerger, Roberta Cortopassi, Jean-Claude Golvin et Florence Babled pour la section copte. Les réintégrations et les restaurations de l'église de Baouit, souvent très complexes, ont été exécutées par Daniel Ibled, Benoit Lafay, Nicolas Imbert et Bruno Perdu. La maîtrise d'œuvre de l'ensemble a été confiée aux architectes François Pin et Catherine Bizouard. Enfin, je n'aurai garde d'oublier l'Etablissement public du Grand Louvre ainsi que les différents services du musée du Louvre dont les contributions ont été décisives. Qu'ils en soient tous chaleureusement remerciés.

Christiane Ziegler
Conservateur général
chargée du département
des Antiquités égyptiennes

Chronologie

Avant J.-C.

vers 600   fondation de **Naucratis,** à l'origine simple comptoir grec, sous le pharaon Psammétique Ier

332   fondation d'**Alexandrie** par Alexandre le Grand, roi de Macédoine

LES LAGIDES
dynastie fondée par Ptolémée, fils de Lagos, général d'Alexandre

280   fondation de **Ptolémaïs** en Haute Egypte

272   établissement de relations diplomatiques avec Rome

31   annexion de l'Egypte par Octave Auguste après la bataille d'Actium

LES ROMAINS

Ier siècle après J.-C.

vers 40   selon la tradition, saint Marc évangélise l'Egypte propagation du Christianisme au sein de la communauté juive d'Alexandrie premiers portraits funéraires peints dits « du Fayoum »

64   début des persécutions contre les chrétiens début de la construction des catacombes de Kom el Chugafa à Alexandrie

IIe siècle

115-117   « guerre juive » et disparition des communautés juives d'Alexandrie

130   fondation d'**Antinoé** par l'empereur Hadrien

172   révolte paysanne dans le Delta

IIIe siècle

    anarchie militaire : trente-cinq empereurs en un siècle avec comme corollaires insécurité et crise économique et monétaire

215   massacre et sac d'Alexandrie sur ordre de l'empereur Caracalla

250-270   épidémie de peste

251?-356   vie de saint Antoine, ermite, fondateur du monachisme en Egypte raids de pillards Blemmyes en Haute-Egypte

268-272	occupation de l'Egypte par les Palmyréniens
284	début de l'ère des Martyrs (calendrier copte)
284-305	grande persécution de Dioclétien
293-305	instauration de la Tétrarchie : deux Augustes qui décident et deux Césars qui exécutent

IVᵉ siècle

313	l'empereur Constantin proclame la liberté des cultes
vers 350	traduction de la Bible en copte
380	l'empereur Théodose proclame le christianisme religion d'Etat
391	destruction du Serapeum d'Alexandrie
392	édits de Théodose interdisant les cultes païens et ordonnant la fermeture des temples
394	derniers textes datés en hiéroglyphes à Philae
395	partage de l'empire : empire d'Occident, capitale Rome, empire d'Orient, capitale Constantinople. L'Egypte est incluse dans l'empire d'Orient

LES BYZANTINS

Vᵉ siècle

451	concile de Chalcédoine (les Coptes se séparent de l'Eglise officielle)

VIᵉ siècle

527-565	règne de Justinien

VIIᵉ siècle

610-641	règne d'Héraclius

LES SASSANIDES

619-629	l'Egypte est aux mains des Perses sassanides
622	début de l'Ere islamique (Hégire)

LES ARABES

641	l'Egypte est conquise par les Arabes
661-750	dynastie umayyade
750-1258	dynastie abbasside
969-1171	dynastie fatimide
1164	Salah al-Din (Saladin) en Egypte
1171-1250	dynastie ayyoubide
1250-1517	les Mamelouks

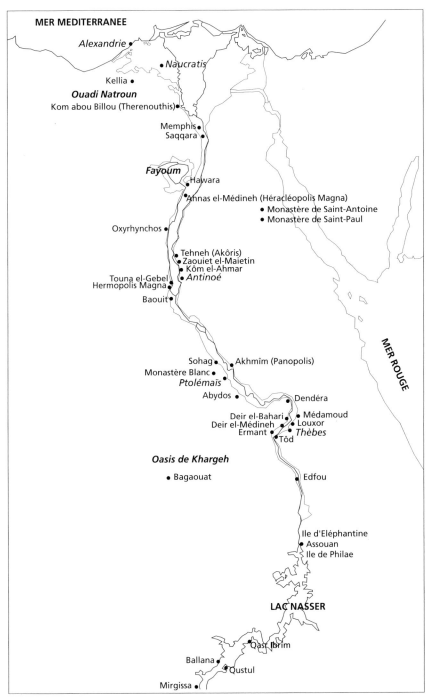

MER MEDITERRANEE

Alexandrie

Naucratis

Kellia

Ouadi Natroun
Kom abou Billou (Therenouthis)

Memphis
Saqqara

Fayoum
Hawara

Ahnas el-Médineh (Héracléopolis Magna)

Monastère de Saint-Antoine
Monastère de Saint-Paul

Oxyrhynchos

Tehneh (Akôris)
Zaouiet el-Maietin
Kôm el-Ahmar
Antinoé
Touna el-Gebel
Hermopolis Magna
Baouit

MER ROUGE

Sohag   Akhmîm (Panopolis)
Monastère Blanc
Ptolémaïs
Abydos   Dendéra

Deir el-Bahari   Médamoud
Deir el-Médineh   Louxor
Ermant   *Thèbes*
Tôd

Oasis de Khargeh
Bagaouat   Edfou

Ile d'Eléphantine
Assouan
Ile de Philae

LAC NASSER

Qasr Ibrim
Ballana
Qustul
Mirgissa

Les cités sont signalées en *italique maigre*

Lexique

ankh

signe hiéroglyphique signifiant « vie », tenu par les dieux et les pharaons. Il a été réutilisé par les chrétiens, sous le nom de croix ansée.

archonte

magistrat recruté dans la classe privilégiée des Grecs. Les archontes sont réunis dans un collège représentatif de la communauté de la ville.

ba

partie spirituelle de l'individu qui, après sa mort, retrouve son individualité. Il est figuré sous forme d'un oiseau à tête humaine.

couronne *atef*

portée par Osiris, composée d'une couronne blanche, dont le sommet est coupé pour soutenir un petit soleil et deux plumes d'autruches latérales.

justifié

celui qui a été jugé « juste » par Osiris et peut donc accéder à l'éternité, à l'image du Soleil.

Livre des morts

selon la définition de Jean-Louis de Cenival : recueil de formules à caractère magique, codifiées selon l'époque, pour que le défunt obtienne ce qu'il désire dans le monde des morts.

Livre pour sortir le jour

voir Livre des morts

naos

tabernacle renfermant l'effigie du dieu à l'intérieur du temple.

némès

coiffure royale faite d'une étoffe rayée retombant en deux pans sur la poitrine.

onciales

lettres capitales aux contours arrondis.

ostraka

mot grec, pluriel d'*ostrakon*, qui désigne des tessons de poterie ou des éclats de calcaire, sur lesquels on écrivait.

ouroboros

« serpent qui avale sa queue », représenté sur les cercueils, symbole de rajeunissement et de renaissance.

ousekh

signifie « large » en Egyptien pharaonique ; on appelle donc « collier ousek » le large collier représenté jusqu'à l'époque romaine.

sceptre *heka*

bâton à l'extrémité recourbée servant aux bergers, devenu insigne du pouvoir royal.

svastika

« de bon augure » : mot sanscrit dérivé de *svasti* « salut ». Ce symbole solaire originaire de la vallée de l'Indus est utilisé comme motif décoratif à partir du néolithique (env. 7 000 avant J.-C.).

uræus

cobra dressé à la gorge dilatée représentant la déesse qui personnifie l'œil brûlant de Rê (le soleil).

vases canopes

vases où les viscères des morts, retirés du corps lors de l'embaumement, étaient conservés et protégés par les quatre fils d'Horus, représentés sur les couvercles.

Egypte romaine, art funéraire

Les mots suivis d'un astérisque sont explicités dans un lexique, en début de volume.

Pour les rituels et les techniques de l'embaumement, se reporter au tome I du guide des Antiquités égyptiennes (salles 15 et 17).

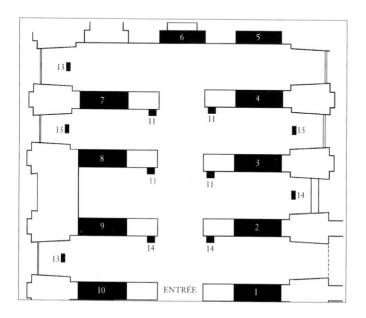

Page précédente :

Portrait de jeune femme, détail (voir p. 48)

Portrait d'homme
bois peint
Thèbes (?)
IIIᵉ siècle apr. J.-C.

Portrait de femme
bois peint
Saqqara
IVᵉ siècle apr. J.-C.

Historique de la collection

Jusqu'à présent l'Egypte romaine n'avait jamais vraiment trouvé sa place au musée du Louvre. La production de cette période était jugée bâtarde et décadente, sauf ce qui pouvait être rattaché à l'art gréco-romain comme les portraits peints sur bois dits « du Fayoum », et les rares pièces exposées étaient dispersées entre le département des Antiquités grecques, étrusques et romaines et les salles égyptiennes et coptes.

Jean-Louis de Cenival, conservateur général chargé du département des Antiquités égyptiennes de 1982 à 1992, est le premier à réhabiliter l'Egypte romaine, en lui consacrant une vitrine dans une des salles Charles X. C'est à partir de son projet et avec la volonté de Christiane Ziegler, son successeur, que l'Egypte romaine va enfin voir le jour, en commençant paradoxalement par l'exposition du matériel funéraire, dans un espace situé sous la salle du Manège. Suivra l'aménagement d'espaces, dans l'aile sud de la cour Visconti, où seront présentées la vie quotidienne, les croyances, la diffusion des cultes en dehors de l'Egypte, et enfin la période tardive, où cohabitent paganisme et christianisme, faisant le lien avec les salles coptes, situées à l'est de la cour Visconti.

En ce qui concerne les œuvres exposées dans la salle funéraire, les acquisitions se sont faites par des achats, par dons ou legs, et enfin à la suite de campagnes de fouilles.

– Achats. Jean-François Champollion, l'inventeur du déchiffrement des hiéroglyphes, chargé de créer un département des Antiquités égyptiennes au Louvre par le roi Charles X en 1826, achète la seconde collection, riche de quatre mille pièces, réunie par Henry Salt, consul général britannique au Caire, dont faisaient partie deux grandes tentures funéraires (N 3076 et N 3391) et cinq portraits (P 208 à P 212) dits provenir de Thèbes. Il ramène aussi le cercueil de Chelidona, qu'il a acheté pour lui.

L'archéologue nantais François Caillaud cède au cabinet des Médailles de la Bibliothèque nationale l'ensemble de Padiimenipet acquis en Egypte en 1823, qui sera reversé au Louvre en 1907.

Une série de portraits peints sur bois (MNC 1693 à MNC 1697) furent acquis en 1893 d'Albert Daninos, l'assistant en Egypte de l'archéologue Auguste Mariette.
– Dons et legs. En 1834, le roi Louis-Philippe donne au Louvre le beau portrait sur bois (P 200) rapporté de Memphis par Léon de Laborde en 1827.

Le portrait de la femme en rose (P 216) était l'un des trois cents portraits peints sur bois acquis par Théodore Graf, collectionneur et marchand autrichien. Dispersés après sa mort, la plupart furent achetés par les grands musées européens. Ce portrait, qualifié dans le catalogue « d'une remarquable laideur », fut donné par l'antiquaire Arthur Sambon en 1952.

Le masque en plâtre doré (E 27110), vraisemblablement d'Hawara, fut donné par André Kahn Wolf, collectionneur américain, en 1972.

Le masque de femme (E 11863) est un legs du médecin Henri Robert Coulomb de 1925, et le masque de femme E 27152, incarnant une sorte d'idéal de fusion entre arts grec et égyptien, fut légué par Mme Albert Marquet, épouse du peintre, en 1976.
– Fouilles. La momie et le cercueil de Ouahparé, le cercueil de Chenptah, la plupart des masques en plâtre, l'ensemble des masques plastrons à dosseret, et les stèles de Tehneh sont le fruit des fouilles organisées en 1903 et 1905 par l'Institut français d'archéologie orientale du Caire (I.F.A.O.).

Le matériel d'Antinoé, réuni dans deux vitrines, est une partie du fruit des fouilles effectuées pendant une quinzaine d'années, grâce, entre autres, au soutien financier de l'industriel Emile Guimet (voir le compte rendu détaillé qui en est donné ci-après).

Un masque plastron en plâtre (E 11485) provient de fouilles de Raymond Weill à Zaouiet el-Maietin en 1913.

Portrait de femme
plâtre peint
legs Marquet
Ier siècle apr. J.-C.

Antinoé
dans les collections

Le département des Antiquités égyptiennes conserve à l'heure actuelle l'ensemble le plus important en France d'objets en provenance d'Antinoé ; ce fonds occupe par ailleurs une place prépondérante au sein des collections romaines et coptes du Louvre. Après avoir connu dans les années 1900 un bref instant de gloire consécutif à leur trouvaille, ces objets furent le plus souvent relégués dans l'ombre, à l'exception de quelques pièces jugées exceptionnelles comme le *voile d'Antinoé* ou le *châle de Sabine* pour ne citer ici que des textiles. Ils doivent cette demi-disgrâce à une relative difficulté d'appréciation, liée, il est vrai, à un parcours pour le moins chaotique. Tout commence avec leur exhumation hâtive des sables antinoïtes pour s'achever lors de la période délicate de la dernière guerre, pendant les évacuations du mois de juin 1940, où près de deux cent cinquante caisses d'objets égyptiens et de documentation quittèrent le Louvre pour être acheminées en lieu sûr.

L'antique Antinoé (Antinoopolis, ou ville d'Antinoüs) est créée en 130 de notre ère par l'empereur philhellène Hadrien, qui manifeste aussitôt envers elle son évergétisme et la dote d'un statut particulier, calqué sur celui des cités grecques antérieures d'Egypte. Cas unique de fondation impériale sur le sol égyptien au cours de la période romaine, elle tire de cette position singularité et prestige. Hautement symbolique par essence, puisque dédiée à la mémoire du favori sur les lieux présumés de sa noyade dans le fleuve, elle est surtout née d'une volonté politique ; située à un endroit stratégique sur la rive occidentale du Nil en Moyenne-Egypte (face à Ashmounein-Hermoupolis Magna), elle demeurera la ville clé de la région jusqu'à l'arrivée des Arabes au VIIe siècle, moment où elle amorce un lent déclin. En dehors de l'enceinte, les nécropoles s'étendent sur une vaste superficie jusqu'aux contreforts montagneux de la chaîne Arabique formant un cirque ; elles nous ont livré un matériel archéologique tout à fait remarquable, couvrant une large période chronologique, centrée sur les époques romaine et copte. Le site, ruiné et gravement bouleversé, est aujourd'hui presque totalement réensablé ; les déprédations modernes, causées surtout par les *fellahin* à la recherche de *sebakh* (engrais), se sont ajoutées aux effets du temps.

Quelques chiffres donneront ici une idée de l'ampleur de cet ensemble au sein du musée et de son aspect extrêmement diversifié. Richesse et variété sont avant tout redevables au climat égyptien et à la siccité du sol, qui ont préservé les matériaux organiques tels que bois, cuir, fibres textiles, etc. Si ces collections ne sont pas exactement quantifiables, on peut cependant en dresser un panorama assez complet, quoique en constante évolution au fil des recherches. L'actuelle estimation des collections antinoïtes porte ces dernières à plus de trois mille objets qui se répartissent, en termes génériques de matériaux, de la manière suivante : plus de deux mille deux cents textiles (laine, lin ou soie), environ cinq cent quarante objets en terre (crue, cuite ou émaillée) et cent vingt en bois (aux essences très variées : buis, acacia, tamaris, olivier, figuier, cèdre, ébène, etc.), une centaine de cuirs (travaillés au repoussé, incisés, ajourés ou dorés à la feuille) et de verres, plus de quatre-vingts os ou ivoires (souvent difficiles à différencier), une soixantaine de métaux (bronze, fer, plomb, cuivre et laiton, étain, or ou argent), une quarantaine de plâtres ou de stucs (généralement polychromes) et de végétaux (jonc ou roseau, papyrus, bambou, palmier, etc.), vingt-cinq pierres (proportion assez faible : la statuaire est quasi inexistante ; le calcaire est le plus fréquent, suivi du marbre, de l'albâtre, du basalte ou du granit, de la cornaline...) et enfin une dizaine d'inclassables qui composent la rubrique « divers ».

La typologie, très riche elle aussi, donne en reflet une image si l'on peut dire vivante des différents aspects de la vie quotidienne et des pratiques funéraires en usage. Les inhumations, naturellement différentes selon les époques et le rang social des individus, s'accompagnaient pour les plus anciennes de portraits sur planchette de bois ou de masques en stuc peints. Outre les vêtements (tuniques avec leurs ornements en tapisserie, coiffures, mantelets, parfois manteaux décorés de soieries, jambières, etc.) et chaussures composant l'essentiel du trousseau, les « momies » possédaient quelques pièces d'ameublement : coussins et tentures, remployées comme linceuls. Quantité de poteries entouraient généralement le défunt, ainsi que diverses figurines et des lampes en terre cuite. Nous avons connaissance des activités auxquelles se livraient les habitants d'Antinoé grâce aux objets déposés dans leur tombe : tablettes à écrire et papyrus, reliures, styles et calames, étuis en cuir et encrier du scribe ou de l'écolier, boîte à poids de l'orfèvre, sceaux du commerçant, cliquettes, castagnettes et crotales, flûte de pan ou luth du musicien. Mais la toilette et le tissage surtout sont largement évoqués, par de menus objets qui nous font, plus directement encore, entrer dans leur intimité : étuis à fard ou à kohl, vases à parfums, collyres et onguents, pyxides et coffrets, peignes à double dentelure et miroirs, épingles à cheveux et bijoux ou bien fuseaux avec leurs fusaïoles, peignes pour tasser les fils de trame, quenouilles, aiguilles et cartons à tisser. L'enfance enfin nous est partiellement restituée par de naïfs jouets taillés dans le bois.

La compréhension du contexte archéologique impose de prendre en considération la personnalité de l'« inventeur » du site, souvent vilipendé, et de suivre pas à pas la genèse des fouilles. L'initiative en revient à un industriel lyonnais, passionné d'Orient et d'histoire des religions, Emile Guimet (1836-1918). Fondateur éponyme, en 1879, d'un grand musée hétéroclite et didactique, consacré d'abord à sa ville natale (mais transféré à Paris moins de dix plus tard), il charge Albert-Jean Gayet (1856-1916), ancien membre de l'Ecole française du Caire, de mener l'enquête sur le terrain, afin d'y déceler d'éventuelles traces du culte isiaque. Ce dernier commencera ainsi par fouiller l'intérieur de la ville antique avec ses monuments, pour se tourner ensuite vers les nécropoles. Les premiers sondages sont pratiqués au printemps de 1895, suivis chaque hiver de campagnes réalisées à grande échelle et à une cadence élevée malgré des moyens réduits. Des dizaines de « momies » seront ainsi rapportées chaque année en France, accompagnées de milliers d'objets et de tissus, exposés d'abord au musée Guimet. Albert Gayet dirigera une quinzaine de chantiers en tout et sera, vers 1911 semble-t-il, peu à peu remplacé par des personnes de son entourage, bénévoles dénués d'expérience en la matière. La dernière « campagne » aura lieu à l'approche de la Première Guerre mondiale, en février-mars 1914. Le déroulement des opérations nous laisse cruellement démunis quant à leur progression scientifique : la couverture photographique est quasi inexistante, tandis que les rapports de fouilles font eux aussi défaut ; nous possédons seulement les notices annuelles de Gayet en style télégraphique, qui, jusqu'en 1908, serviront de guide sommaire aux visiteurs du musée Guimet. Une autre difficulté majeure de ces fouilles, qui aura des répercussions à long terme, tient au manque chronique de moyens engagés dans la recherche et au financement aléatoire, assuré presque chaque année de manière différente. Les charges furent essentiellement supportées par des particuliers, regroupés en associations ou organismes divers (musée Guimet, chambre de commerce de Lyon, Société du palais du Costume, Société française de fouilles archéologiques), auxquels revenait alors le produit des fouilles, l'Etat n'intervenant qu'à quatre reprises (campagnes de 1900 à 1903, puis de 1906) par l'entremise du ministère de l'Instruction publique, des Beaux-Arts et des Cultes. Les résultats obtenus furent pourtant assez spectaculaires, médiatisés à grand renfort de publicité, sous forme d'articles dans la presse quotidienne annonçant les nouvelles découvertes, et de grandes expositions habilement mises en scène. Ces dernières connurent un immense succès et attirèrent des foules de curieux, parmi lesquels des personnalités : le président de la République Emile Loubet, par exemple, à l'inauguration du 13 juin 1902. Ces expositions ont en effet trouvé asile dans plusieurs lieux parisiens de prestige : d'abord au musée Guimet, place d'Iéna, mais aussi au palais du Costume, sur le Champ-de-Mars à l'occasion de l'Exposition universelle de 1900, au Petit Palais, avenue Winston-Churchill, grâce à la Société française de fouilles archéologiques en 1905, et pour finir au musée d'Ennery, avenue Foch à partir de 1909.

La Direction de l'enseignement supérieur, exerçant son arbitrage, a distribué avec largesse la manne de ces fouilles entre les musées parisiens (musée des Arts décoratifs, musée de Cluny, Manufacture nationale des Gobelins, musée d'Ethnographie du Trocadéro, actuel musée de l'Homme...) et la province (Lyon, Toulouse, Cahors, Nancy, Strasbourg, Châteauroux, Rouen...). Quant au Louvre, il a été notoirement privilégié dans le partage ; l'interlocuteur principal était le directeur des Musées nationaux et de l'Ecole du Louvre : Albert Kaempfen (1887-1903) puis Jean-Théophile Homolle (1904-1911). Les collections furent ainsi réparties entre les différentes sections archéologiques : les Antiquités égyptiennes d'abord (sous la direction de Georges Bénédite [1895-1926], artisan d'un grand réaménagement en 1907 et instigateur de l'inventaire provisoire de « l'ancien fonds » consignant des objets ayant perdu leur identité), la Céramique antique ensuite (qu'anime alors Edmond Pottier bientôt conservateur des Antiquités orientales [1910-1924]), enfin les Antiquités grecques et romaines (dont Antoine Héron de Villefosse [1886-1918] puis Etienne Michon [1919-1936] assument la charge). Plusieurs autres personnages ont joué un rôle actif au cours des tractations engagées : parmi eux Charles Boreux, alors conservateur adjoint au département des Antiquités égyptiennes. Ce dernier a laissé, dans l'inventaire de l'ancien fonds, plusieurs annotations mentionnant l'existence d'une réserve, la « cour de l'En-Cas », spécialement destinée au stockage des trouvailles de Gayet à Antinoé. Dans cette vaste salle (ancienne remise impériale abritant les voitures), située au rez-de-chaussée de l'aile sud du Louvre, donnant sur le quai des Tuileries, furent surtout entreposés de menus objets (statuettes, lampes, verreries, bronzes, etc.).

Dès cette première étape dans l'historique des collections, le produit des fouilles s'est vu littéralement dépecé ; des pièces textiles ont été découpées pour être dispersées entre divers musées solliciteurs, la *tapisserie aux poissons* (voir p. 72) se trouve ainsi morcelée entre le Louvre et le musée des Tissus de Lyon. Toujours durant cette période, le Louvre devint, immédiatement derrière le musée Guimet, le véritable pôle d'attraction, puisqu'il se trouvait être *de facto* le principal dépositaire du produit des fouilles d'Antinoé. Les musées ou institutions intéressés venaient y faire leur choix pour alimenter leurs propres collections, tandis que le Louvre lui-même prélevait en quelque sorte son tribut.

Outre les partages effectués au lendemain des fouilles, les tribulations du legs Gayet sont elles aussi assez révélatrices de l'intérêt plutôt ambigu porté aux trouvailles d'Antinoé. Ce n'est que tardivement, au début des années 1920, que furent engagées des démarches pour la répartition d'objets provenant, pour partie, des « dernières fouilles exécutées à Antinoé par la mission Gayet », et entreposés depuis fin 1914 au Louvre. En exécution des décisions d'une commission réunie le 20 janvier 1920, on procéda dans les mois suivants à l'ouverture et au déballage d'une cinquantaine de caisses d'Antinoé, encore « brutes de fouilles ». Mais devant les risques encourus pour la conservation, l'affaire se solda par quelques destructions d'objets, brûlés car en état avancé de décomposition, et par un décret d'attribution en faveur des facultés des lettres de Paris et de Nancy et du musée d'Ethnographie du Trocadéro. Un rapport détaillé de Charles Boreux, en date du 5 juillet 1920 et adressé à son supérieur Georges Bénédite, rend compte des aléas de cette délicate opération. Le Louvre lui-même extrait quelque quatre cents pièces, « prélevées sur la réserve des objets provenant d'Antinoé entreposés à la salle de l'En-Cas ». Trois ans plus tard, le legs consenti dès 1916 à l'Etat, par testament de la sœur d'Albert Gayet, se voit finalement refusé faute de locaux disponibles ; il devait dans ce cas revenir à Dijon, ville natale de Gayet, selon les propres vœux de ce dernier. L'Administration ayant, on l'a vu, entre-temps déjà disposé de son bien, confié à titre provisoire et sans garantie au Louvre, celui-ci dut en compensation faire un dépôt au musée bourguignon.

Concernant l'accroissement des collections antinoïtes, les achats à des particuliers ou à des antiquaires sont quantité négligeable ; les dons eux-mêmes se révèlent assez peu significatifs, à l'exception toutefois de celui de juillet 1905 : la Société française de fouilles archéologiques concède au musée du Louvre une série de plus de deux cents objets provenant des campagnes de 1904 et de 1905, qu'elle a subventionnées ; le *voile d'Antinoé*, qui fait partie de ce don, ne rentrera dans les collections qu'entre mars et juin 1906, soit près d'un an après son exposition au Petit Palais durant l'été 1905. Mais l'étape majeure est franchie lors du transfert après-guerre, aux alentours de 1947, de la collection égyptienne du musée Guimet au Louvre. Cet apport, réalisé en plusieurs épisodes, est considérable : il représente environ les deux tiers des objets en provenance d'Antinoé actuellement conservés au département des Antiquités égyptiennes.

Beaucoup de changements sont intervenus au sein même du musée : déplacements dans les réserves, réorganisation des salles ou des collections avec nouveau découpage (c'est le cas lors de la création de la section des Antiquités chrétiennes, entre 1954 et 1969), et la trajectoire des objets est loin d'être linéaire. Les déménagements successifs et les manipulations ont multiplié les risques d'erreurs, et des informations, rares donc précieuses, ont pu à chaque fois s'égarer, achevant encore d'embrouiller un écheveau de fils déjà difficiles à démêler. Cependant la muséographie s'avère être un enseignement à double titre : pour le public en premier lieu, mais aussi pour l'histoire des mentalités, et elle ajoute sa propre trace à tout vestige archéologique.

Florence Calament-Demerger

Chercheur rattachée à la section copte

Introduction

A partir de 30 av. J.-C., après la défaite et le suicide de Cléopâtre VII, l'Egypte perd indépendance et souveraineté, pour devenir une province à statut spécial, relevant directement de l'empereur et gouvernée par un représentant de celui-ci, sorte de vice-roi, avec sur place trois légions et une flotte. L'Egypte était en effet pour Rome un enjeu stratégique et économique : grenier à blé et plaque tournante importante pour le commerce de produits exotiques et coûteux, en provenance d'Afrique et d'Orient.

Même ravalée au rang de simple colonie, l'Egypte continuait à exercer charme et fascination par sa civilisation, ses monuments, sa réputation de patrie de la magie. On y venait en touriste, ce dont témoignent, par exemple, les nombreux graffitis, gravés sur les colosses de Memnon (les statues colossales d'Aménophis III à Louxor). Le pays était renommé, en particulier, pour ses pratiques funéraires promettant l'immortalité à tout individu, assuré d'être divinisé en Osiris, à condition, bien sûr, de pouvoir en assurer la dépense.

LA MOMIFICATION

La raison d'être de ces pratiques, que l'on peut qualifier d'industrie funéraire, reposait sur la conservation de l'individu, corps et nom, appelé à renaître, à la suite de l'observation rigoureuse d'un rituel dit de l'embaumement, qui, avec le temps, fut simplifié, voire bâclé. Le procédé de momification, élaboré au début de l'ère dynastique (3000 av. J.-C.), atteint son apogée au Nouvel Empire (1555-1080 av. J.-C.) pour, à partir de la Basse Epoque (664-332 av. J.-C.), se dégrader en un traitement sommaire consistant surtout à préserver les apparences. Il se perpétue néanmoins jusqu'à l'époque chrétienne.

La famille du défunt déposait un cadavre et récupérait une momie. Il y avait plusieurs niveaux de prestations suivant les moyens financiers mis à disposition. Si les pauvres étaient simplement enroulés dans une natte et enterrés dans le sable en bordure du désert, les riches, en revanche, étaient livrés aux mains de spécialistes, répartis en corporations, travaillant dans des officines dépendant des temples autour desquels s'étendaient les nécropoles : Abydos, Memphis, Thèbes, Hermopolis, Hawara, etc.

Les différentes phases de l'opération devaient être accompagnées par la récitation par un « cérémoniaire », ou « prêtre lecteur », du rituel de l'embaumement, condition indispensable pour que le défunt, chrysalide dans son cocon de linceuls et de bandelettes, se métamorphose en Osiris.

Les croyances égyptiennes et gréco-romaines convergent pour attribuer à l'or, métal couleur du soleil, « chair des dieux », le pouvoir de rendre inaltérable : aussi, à partir de l'époque romaine, la feuille d'or était appliquée à même la peau, sur le visage, la poitrine, les bras et l'abdomen de la momie, et sur les masques et les portraits, considérés comme les doubles durables du visage du défunt.

Tête de momie dorée
Ier-IIe siècle apr. J.-C.

Pour l'anecdote, des témoignages mentionnent que, la momie représentant un certain investissement, elle pouvait servir de gage pour emprunter de l'argent, et, en cas de non-remboursement, passer aux mains du prêteur en dédommagement.

LA PRÉSERVATION DU NOM

Liée à la préservation du corps, celle du nom était tout aussi cruciale : le nom est, en effet, une part essentielle de la personnalité, jouissant d'une vie propre. Perdre son nom, être oublié, était mourir une seconde fois, irrémédiablement. Aussi avait-on soin de mettre en contact avec la momie, serré contre elle, un rouleau de papyrus à son nom, intitulé *Livre pour sortir le jour*, plus connu sous l'appellation *Livre des morts*, qui selon la définition de Jean-Louis de Cenival est un « recueil de formules à caractère magique, codifiées selon l'époque, pour que le défunt obtienne ce qu'il désire dans le monde des morts », illustré par le papyrus d'Hornedjitef, daté du Ier siècle av. J.-C., long de vingt-cinq mètres [Antiquités pharaoniques, salle 17]. A cette époque cependant, la tendance est au raccourcissement ainsi que le montre un document, écrit en hiératique (écriture cursive dérivée des hiéroglyphes), réunissant un *Livre pour sortir le jour* abrégé et un texte dans le style du *Livre des respirations* [vitrine 4]. Ce dernier, limité à un extrait du chapitre 2, est le plus utilisé à l'époque romaine, sous forme d'un feuillet de papyrus placé sous la tête de la momie, ou inséré entre les bandelettes maintenant le linceul. Ce texte était rédigé sur le mode d'une litanie dont le leitmotiv était : « Puisse mon nom être perdurable [...], que mon nom fleurisse pendant la durée infinie de l'éternité » [vitrine 3].

En dehors du *Livre des respirations*, consacré à conjurer son oubli, le nom du défunt se trouve inscrit sur les bandelettes de la momie, sur les linceuls, sur les cercueils, ainsi que sur les portraits et les masques plastrons.

Livre des respirations
papyrus
Thèbes
début du IIe siècle apr. J.-C.

Les étiquettes de momie

[vitrine 5]

Pérenniser le nom du défunt est aussi la fonction des étiquettes de momie. En effet, attachées à la momie, elles ont un double emploi : titre de transport, elles servent à identifier le défunt, lors de son transport du lieu d'embaumement à son lieu d'inhumation ; monuments funéraires, elles sont l'humble substitut de la stèle. Plus de mille de ces étiquettes sont conservées au Louvre.

Elles sont taillées dans du bois selon des formes diverses : *tabula ansata* à la mode romaine, imitant la stèle cintrée égyptienne, surmontée d'un appendice circulaire percé d'un trou évoquant le signe *ankh**, rectangulaires, ou imitant la stèle à fronton triangulaire à la mode grecque. En général inscrites à l'encre noire,

Lettre d'une sœur à son frère

papyrus
IIe-IIIe siècle apr. J.-C.

Etiquettes de momie

bois, calcaire

elles peuvent aussi être gravées, avec des caractères peints en rouge selon la tradition grecque. Elles sont pour la plupart bilingues, écrites recto et verso : d'un côté sont mentionnés en grec, langue de l'administration, le nom, la filiation, le lieu de naissance, la durée de vie et parfois le métier ; de l'autre côté figure une formule de prière en démotique, langue élaborée à partir de l'égyptien parlé, pendant l'époque pharaonique.

Les stèles

Monuments de pierre, elles rappellent le nom du défunt selon une formule identique à celle qui est inscrite sur les étiquettes de momie, et servent au culte funéraire destiné à assurer la survie du mort dans l'au-delà par la perpétuation de son souvenir ici-bas.

– Les trois stèles d'Abydos [vitrine 11]
Les *deux stèles avec épitaphe rédigée en grec* sont, par la forme et l'iconographie, de facture égyptienne. Leur provenance est vraisemblablement Abydos, où, selon le mythe, était conservée la tête d'Osiris, dieu assassiné et mis en pièces. Pour cette raison, il y était vénéré en tant que dieu du monde souterrain et garant de résurrection. Il juge les morts, que lui présente Anubis, comme

Stèle funéraire avec épitaphe
en grec
calcaire
Abydos (?)
Ier-IIe siècle apr. J.-C.

le montrent les représentations sur les stèles. Le « justifié* d'Osiris » est celui qui, ayant subi l'épreuve avec succès, peut accéder à la vie éternelle.

La *stèle aux deux Anubis*, de même provenance, mais plus tardive, contraste avec les précédentes par la gaucherie de sa facture ; les figures sont représentées de face et entassées. Deux Anubis conduisent le père et son fils défunts à Osiris, assisté par Isis.

Ces monuments, placés dans le sanctuaire d'Osiris ou à ses abords, permettent au défunt enterré ailleurs de bénéficier néanmoins de la protection du dieu.

– La stèle d'Epimachos [vitrine 12]
A l'intérieur d'un cadre reproduisant une façade de temple grec au fronton orné d'acrotères, Anubis

Stèle d'Epimachos

calcaire
Alexandrie
Iᵉʳ-IIᵉ siècle apr. J.-C.

*Stèle au nom d'Artemis écrit
en démotique*

calcaire
Kom abou Billou
IIIᵉ siècle apr. J.-C.

embaume le mort, porté par le lion « véhicule », coiffé de la couronne osiriaque, montrant sa double fonction funéraire et solaire. Dans l'angle supérieur, à droite, se dessine la silhouette d'un oiseau, probablement le *ba** du mort. L'épitaphe est une invocation à Sarapis, identifié à Osiris. Sa provenance est sans doute Alexandrie : en effet, une scène analogue est reproduite dans la catacombe de Kom el-Chugafa, aménagée à l'époque romaine.

– Les stèles de Kom abou Billou [vitrine 5]

Les stèles provenant de Kom abou Billou, nom actuel de l'antique Therenouthis, colonie fondée par les Grecs dans le Delta, ont fait l'objet d'une production quasi industrielle du Iᵉʳ au IVᵉ siècle apr. J.-C. Pour la plupart de petit format, elles allient la technique du relief dans le creux, réservée à la représentation des défunts, avec celle de la gravure pour les autres figures, le décor et l'épitaphe.

Elles se divisent en deux groupes iconographiques.

– Le banquet funéraire : le mort, le visage de face, est à demi allongé sur un lit garni d'un matelas et de coussins, montrant le goût pour le confort. Il tient, d'une main, une coupe et, de l'autre, la couronne du justifié d'Osiris. Cette iconographie remonte à la période archaïque grecque, au début du VIᵉ siècle av. J.-C.

– L'orant : le mort est figuré debout, les bras levés en signe de prière ou d'invocation, entre le faucon Horus et Anubis sous son apparence de chacal.

Stèle d'Atiliôn et de ses enfants
calcaire
Kom abou Billou
IIIᵉ siècle apr. J.-C.

Sur la *stèle d'Atiliôn et de ses enfants*, le défunt est allongé sur un lit, tenant une coupe, d'une main, et la couronne du justifié d'Osiris, de l'autre. A ses côtés son fils, assis sur un coussin, lève les mains en un geste de prière ou d'adoration, et sa fille fait une libation sur un autel à cornes. Anubis, en chacal, est couché, la tête dirigée vers le défunt. Au-dessus de l'épaule de la fille, un griffon ailé, la patte posée sur une roue, incarne le dieu égyptien Petbe, « celui qui rétribue ». En effet, pour les Egyptiens, chaque individu avait son Petbe, sorte d'ange-gardien, chargé de surveiller sa conduite, sanctionnant la faute et récompensant la bonne action. Les Grecs l'assimilèrent à Némésis, qui personnifiait le destin, « à qui on ne peut échapper ». Cette déesse était vénérée à Alexandrie et surtout au Fayoum, où la fête des *Nemesia* lui était consacrée. Le faucon, coiffé de la double couronne, est Horus, dieu du ciel, fils de Rê et aussi fils et vengeur d'Osiris ; il est perché sur la stèle, où sont inscrits les noms des membres de la famille.

Ce type de stèle, reprenant le modèle du relief funéraire grec, rompt avec le standard de la plupart des stèles de Kom abou Billou. Les divinités égyptiennes ou égypto-grecques s'imposent par leur sculpture en relief, comme les défunts. Cette stèle est un exemple de culture mixte gréco-égyptienne.

Stèle au nom de Phanias
calcaire
Kom abou Billou
IIIᵉ siècle apr. J.-C.

Modèle de banquet funéraire
terre cuite
Fayoum (?)

LES MODES FUNÉRAIRES

Le cercueil de Chenptah

[vitrine 4]

(fin de l'époque ptolémaïque - début de l'époque romaine)

Le *couvercle* est à l'effigie de la défunte divinisée, le visage est doré, elle est parée d'une perruque et d'un collier *ousekh** minutieusement ouvragés. Les représentations sont copiées d'après le *Livre pour sortir le jour* et disposées en registres dont la lecture se fait de bas en haut. Aux pieds, les deux Anubis chacals gardent la tombe. De part et d'autre d'une double rangée d'hiéroglyphes donnant le nom de la morte, accompagné d'une formule de prière, se dressent les quatre fils d'Horus, génies protecteurs. Nout, à genoux, étend ses ailes protectrices ; elle est la voûte céleste, les plumes symbolisent sa puissance cosmique et par elle, la défunte naît à la vie éternelle. Veillée par Isis et Nephthys, elle repose sur un lit funéraire en forme de lion, sous lequel sont déposés les *vases** *canopes*, à l'effigie des fils d'Horus, renfermant ses entrailles.

*Détail du cercueil de Chenptah :
la momie sur son lit funéraire*

détail
bois peint
Touna el-Gebel
1er siècle av. J.-C. - 1er siècle apr. J.-C.

L'iconographie du lit funéraire en forme de lion est très symbolique : le lion, animal puissant et redoutable, hante les montagnes désertiques qui bordent la fertile vallée du Nil, formant une double muraille protectrice à l'est et à l'ouest, sur laquelle naît et se couche le soleil. La croyance a assimilé le lion à la montagne désertique pour en faire, sous une forme double, le gardien de l'horizon : le lion d'orient protège le soleil qui se lève entre ses pattes et, le soir, c'est en passant entre les pattes du lion d'occident que le soleil pénètre dans le monde souterrain pour effectuer son voyage nocturne. Transposition de cette relation cosmique, le lit funéraire est en fait « véhicule de vie » : la momie, portée et protégée par le lion, s'identifie au soleil dans son voyage souterrain pour renaître au jour.

Les *côtés du couvercle* sont décorés d'une résille multicolore ; la cuve est peinte en noir sur chacun de ses côtés, un uræus* disqué s'enroule autour d'une tige de papyrus, symbole de renouveau.

Un *plastron* fait d'un mince cartonnage stuqué, peint et doré, figure la défunte en Osiris, les bras croisés sur la poitrine.

Cette œuvre est représentative d'un art égyptien alliant virtuosité technique, dans le décor ornemental, et sens de l'humour, voire de la caricature, dans les représentations.

L'ensemble de Ouahparé
[vitrine 4]
(fin période ptolémaïque - début période romaine)

La momie est revêtue d'un cartonnage en six éléments, maintenus par des liens en lin, et elle est enveloppée dans un linceul en lin bordé de franges. Elle repose dans un cercueil de facture ptolémaïque.

Le cercueil et le cartonnage entourent la momie d'une double armure magique, dont les représentations et les inscriptions sont destinées à protéger le défunt, ici un enfant, et à lui assurer une vie éternelle.
– Le cercueil
Sur le *couvercle*, la déesse vautour Nekhbet occupe cinq registres. Le sixième registre montre les deux chacals d'Anubis, gardiens de la tombe, ainsi qu'Isis et Nephthys en prière. Sur le petit côté, à la tête, Isis et

Le cercueil de Ouahparé avec le pilier Djed incarnant Osiris sur le petit côté

bois peint
Touna el-Gebel
1er siècle av. J.-C. - 1er siècle apr. J.-C.

La momie de Ouahparé revêtue de son cartonnage

Touna el-Gebel
1er siècle av. J.-C. -1er siècle apr. J.-C.

Nephthys donnent vie, en le touchant, au pilier Djed symbolisant le dieu Osiris ayant retrouvé son intégrité ; aux pieds, Anubis, assisté d'Isis et de Nephthys, prépare le défunt, gisant sur le lit funéraire, à sa vie éternelle.

Une frise d'amulettes, le nœud d'Isis alternant avec le pilier Djed, orne les *longs côtés* de la caisse.

Sur le *petit côté de la tête*, Isis et Nephthys, en serpents ailés, donnent vie, grâce aux battements de leurs ailes, à Djed-Osiris.

Le *petit côté des pieds* a la forme d'une façade de temple, avec une corniche ornée du disque solaire ailé, flanqué des deux uræus*. Les chacals gardent, comme sur le couvercle, la porte du temple tombeau, dont les vantaux sont jaunes, couleur d'or, couleur du soleil. Par cette porte, en effet, le défunt, nouvel Osiris, accède à la vie éternelle, assimilée à la course du soleil.

– Le cartonnage

Le *masque plastron* qui emboîte la tête signifie que le mort est un dieu : en effet, la face est dorée et la perruque bleu lapis. Un bandeau rouge, bordé de jaune, couleur de l'or, ceint la perruque. Sur celui-ci, là où devrait être inscrit le nom du défunt selon la coutume grecque, sont peintes cinq étoiles – nombre qui correspond à celui des représentations de Nekhbet sur le couvercle.

La poitrine est couverte d'un *grand collier dit ousekh**, auquel se rattachent le scarabée noir ailé, symbole de renaissance, et Nout, mère des dieux et des morts, étendant ses ailes.

Sur les jambes, le *cartonnage* est en trois pièces : la pièce centrale, comportant une inscription en hiéroglyphes encadrée par un décor ornemental, et deux bandes latérales, dites « jambières », où sont figurés les quatre fils d'Horus, Isis, Nephthys et les deux chacals.

Sur le *cartonnage emboîtant les pieds* sont représentés deux sphinx, qui, comme les chacals, assurent, dans le contexte funéraire, la protection et la garde du tombeau, demeure du dieu vivant. Une bande de hiéroglyphes s'inscrit entre les pieds, dont les doigts sont recouverts d'une feuille d'or. Ils sont chaussés de sandales à l'égyptienne, dont la semelle est ornée d'un quadrillage.

L'ensemble de Padiimenipet
[vitrine 3]
(début du IIe siècle apr. J.-C.)

L'ensemble de Padiimenipet vient d'un caveau découvert dans la région de Thèbes avant 1823 par un aventurier nommé Lebolo. Dans ce caveau reposaient quatorze membres d'une même famille, dont Cornelios Pollios Sôter, qui exerça, en tant qu'archonte*, la plus haute magistrature à Thèbes, sous le règne de Trajan (98-117 apr. J.-C.). Sur les dix-sept ensembles funéraires, neuf sont maintenant conservés dans des musées européens : trois à Londres, deux à Berlin, deux à Turin, un à Leyde, enfin un à Paris, en l'occurrence Padiimenipet. Ce dernier ensemble comprend le cercueil, la momie, un linceul, une résille, une couronne et trois lamelles d'or.

– Le cercueil
Ce type de cercueil, dit « à poteaux d'angle », date de la 21e ou 22e dynastie. Il est légèrement plus étroit aux pieds qu'à la tête. Les quatre poteaux d'angle de la caisse s'emboîtent dans les cavités aménagées à cet effet dans la planche qui forme le fond. La caisse, de forme cintrée, est faite de planches assemblées au moyen de chevilles de bois.

L'*extérieur de la caisse* présente un décor très lacunaire. D'après les dessins de François Caillaud, le dessus de la caisse est décoré par deux scènes, issues du *Livre pour sortir le jour*, réparties de part et d'autre d'une bande de hiéroglyphes. Sur l'une, le défunt comparaît devant Osiris, assisté par Anubis. Sur l'autre, l'âme du défunt sous forme d'oiseau à tête humaine, dit *ba**, comparaît devant Sokaris, assisté par Maat, déesse incarnant la notion d'équité. Un défilé de génies infernaux, armés de couteaux, gardiens des portes de l'au-delà, accompagne chacune de ces scènes.

L'*épitaphe*, écrite en grec, effacée maintenant, se trouvait, comme rajoutée en petits caractères, le long de l'inscription hiéroglyphique, au-dessus de la scène du jugement du défunt. Transcrite par Jean-François Champollion, elle signifie : « Petamenophis, dit Ammônios, ayant pour père Sôter, fils de Cornelios Pollios Sôter, et pour mère Kleopatra, fille d'Ammônios, est mort après avoir vécu vingt et un ans, quatre mois et vingt-deux jours, la dix-neuvième année [du règne] de Trajan le Seigneur, 8 de Payni » (équivalant au 2 juin de l'an 116 apr. J.-C.). « Petamenophis » est la transcription grecque de Padiimenipet. Le nom du défunt est inscrit en hiéroglyphes sur les montants du côté des pieds : « Padiimenipet ». Il signifie « celui qu'a fait Amon », ce qui le place sous la protection du dieu.

Sur les *parois de la caisse*, il y avait, chacun dans une barque halée par quatre chacals, le soleil et la lune effectuant leur voyage souterrain.

Le décor du *petit côté des pieds* montre le scarabée ailé, noir, symbole de renaissance, avec les deux chacals gardiens de la tombe, dont ils portent la clé autour du cou. Ce motif iconographique, d'origine romaine, apparaît dans l'imagerie funéraire à partir du règne de Trajan.

A l'inverse du décor des cercueils de Ouahparé et de Chelidona, c'est le *petit côté de la tête* qui est doté de l'architecture symbolique en façade de temple. Le décor présente une frise d'urœus*, un disque solaire ailé, flanqué des deux urœus*, sur les deux corniches, une frise de rosettes qui surmonte, entre deux personnages assis, un scarabée inscrit dans un *ouroboros** dans la barque solaire. Le scarabée de couleur rouge incarne Khepri, le Soleil à son lever. L'*ouroboros**, « serpent qui avale sa queue », signifie rajeunissement et renaissance. Ici, entourant et protégeant Khepri, « celui qui vient à l'existence », il a une connotation solaire.

*Petit côté du cercueil de
Padiimenipet : la représentation
de l'ouroboros*
Thèbes
début du IIe siècle apr. J.-C.

La particularité d'au moins six cercueils de cette famille est la représentation d'un zodiaque sur la *face intérieure* de la caisse. Ce thème figure au plafond des temples à partir du Nouvel Empire. Le temple de Dendéra, construit à la fin de la période ptolémaïque, en avait deux, dont celui qui est présenté dans la salle égyptienne 12 *bis*. A l'époque romaine, il constitue une ornementation récurrente à l'intérieur des tombes.

Au centre, Nout, déesse du ciel, mère de Rê et d'Osiris, les bras levés, symbolise la voûte céleste. Elle porte perruque et robe-fourreau à l'ancienne, à ses oreilles dardent des uræus* protecteurs.

Autour d'elle, parmi les étoiles, est peint le défilé des signes du zodiaque ; celui du défunt, le Capricorne, est détaché et protégé par la main droite de la déesse. Au-dessus de sa tête, l'astre de feu dispense ses rayons. De part et d'autre, quatre tortues sont figurées, symbolisant peut-être les régions célestes, correspondant aux quatre points cardinaux.

Sur les *côtés*, la théorie des heures du jour et de la nuit scande la course quotidienne de Rê, le Soleil, auquel le défunt est identifié.

Sur les *petits côtés*, à la tête est peint Horus-faucon ; aux pieds Hathor, sous sa forme de vache, protège le *ba** du défunt. A Thèbes, la déesse Hathor était la patronne des morts.

– La *planche* représente Cléopâtre, mère de Padiimenipet, identifiée à Hathor et à Nout, vêtue d'une robe en laine fine, ornée de doubles galons, aux

Intérieur du cercueil
de Padiimenipet :
la représentation du zodiaque

bois peint
Thèbes
début du IIe siècle apr. J.-C.

manches évasées et d'un manteau orné de motifs décoratifs grecs. Sur la robe, une résille est disposée à la façon d'un tablier. Sur ses cheveux est posé un diadème orné d'une étoile. Elle est parée de boucles d'oreilles aux uræus* dardés, d'un collier *ousekh** et de chaînes en or, dont l'une comporte un pendentif en croissant. Les bretelles et la broderie de pampres de vigne sont pareilles à ceux de Nout. A son chevet se tiennent Isis et Nephthys, et, à ses pieds, les Anubis chacals avec la clé du monde des morts. Au-dessus de sa tête est figuré le vase *nw* signifiant « Nout » en hiéroglyphes, et autour d'elle est peint le feuillage du sycomore, l'arbre d'Hathor, dispensant air et eau au défunt.

– La momie

François Caillaud procéda au dépouillement de la momie l'année même de son arrivée à Paris. Elle pesait 106 kg, et le diamètre de la tête était de 38 cm, auquel correspond celui de la couronne.

L'opération dura plusieurs jours. En dehors du linceul à l'effigie d'Osiris furent dénombrés des linceuls de trois sortes, de multiples enveloppes, plusieurs pièces de toile de 50 à 300 m², presque 400 m de bandelettes, quatre tuniques sans manches, dont certaines rapiécées, quatre grandes pièces de toile garnies de liteaux, trois longues écharpes garnies de franges dont l'une marquée *AM* (Ammônios). La coutume funéraire gréco-romaine voulait en effet que le défunt emportât de quoi se vêtir dans l'au-delà.

Les dernières enveloppes étaient tellement durcies par les produits à base de résines utilisés pour l'embaumement qu'il fallut employer burin et marteau pour les détacher de la momie, arrachant en même temps les épaisses feuilles d'or qui recouvraient le visage, la poitrine, les bras et l'abdomen.

Selon la coutume funéraire grecque, deux minces feuilles d'or, en forme d'yeux, étaient posées sur les orbites, et une autre, en forme de langue, sur la bouche fermée. La couleur rousse des cheveux est due à l'emploi du henné.

– Le linceul

À l'effigie d'Osiris, il couvrait la momie, manifestant la métamorphose du défunt en dieu.

Par ses dimensions, 2,30 x 1,12 m, il donne une idée du volume initial de la momie. La colonne de hiéroglyphes, inscrite au centre, mentionnant le nom de Padiimenipet et celui de sa mère, débute par la formule « Je suis le grand linceul… ».

– La résille

Autre enveloppe protectrice, elle était étendue sur le linceul ; en perles de faïence avec des motifs figurant le scarabée ailé, les quatre fils d'Horus et le nom en hiéroglyphes.

– La couronne

Elle était posée sur la tête de la momie « emballée » ; elle est faite de joncs tressés sur lesquels sont fixées une rosette de bois, des feuilles en cuivre doré et des baies en stuc doré, imitant le myrte.

Ainsi la momie de Padiimenipet, recouverte de son linceul à l'effigie d'Osiris, naît à la vie éternelle, comme doublement enfantée par Nout, déesse du ciel, et par sa mère, Cléopâtre, divinisée. Lieu magique de cet enfantement, le cercueil a parfois reçu l'appellation de « maître de vie ».

Le cercueil de Chelidona

[vitrine 2]
(vers 200 apr. J.-C.)

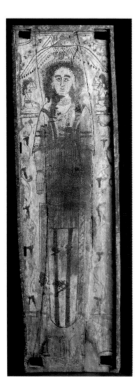

Planche du cercueil de Chelidona : portrait de la défunte
Thèbes (?)
IIIᵉ siècle apr. J.-C.

Ce cercueil en bois peint est de même type que celui de Padiimenipet. Sur la planche, la défunte gît sur une natte. Sur la robe, garnie de larges galons, est disposée une résille de perles tubulaires. Les manches évasées sont aussi ornées de galons. La jeune femme est parée d'une paire de boucles d'oreilles, d'un collier orné de pierres précieuses montées en cabochon, d'une imposante chaîne en or torsadée, retombant en sautoir sur la poitrine, et d'une paire de bracelets. La chevelure, ornée de la couronne de roses du justifié* d'Osiris, encadre le visage, où un seul trait réunit nez, yeux et sourcils.

Sur sa tête, Horus-faucon étend ses ailes ; à son chevet sont agenouillées Isis et Nephthys, et à ses pieds veillent les deux chacals. Le long de son corps se déroulent les pampres de vigne, symbole de renouveau.

Deux thèmes complémentaires ornent la caisse : les quatre vents créatures composites, et les serpents à tête de vautour, pourvoyeurs de crue. Ils sont représentés dans les temples à partir de l'époque gréco-romaine.

Les quatre vents, répartis de part et d'autre de deux espaces aménagés pour des inscriptions, correspondent aux quatre points cardinaux, de plus ils ont chacun quatre ailes.

Le vent du nord, le plus ancien et le plus important, est un bélier à quatre têtes ; c'est le vent le plus aimé, car son souffle frais vivifie les narines et retient l'eau de la crue sur les champs.

Le vent du sud a une tête de bélier sur un corps de lion : c'est lui qui, en chassant le Nil hors de ses cavernes, est à l'origine de la crue bénéfique, et, grâce à son souffle chaud, il favorise la fécondation des animaux et la croissance des plantes.

Le vent d'est a deux têtes superposées : une de bélier et une d'hippopotame, symbole de fécondité, sur un corps de scarabée. Le corps de scarabée évoque Khepri, image de Rê, le Soleil levant. Par son souffle, il aide le Soleil et la Lune à s'élever dans le ciel, et favorise ainsi la croissance des plantes. Le vent d'ouest a une tête de bélier sur un corps de faucon. C'est le plus vénérable, car il accompagne le Soleil dans sa traversée nocturne, accueille et guide les âmes des dieux, c'est-à-dire des défunts justifiés d'Osiris, dans leur voyage souterrain.

A cette même époque, dans le *Livre pour sortir le jour*, le vent du nord est identifié à Osiris, celui du sud à Rê, celui de l'est à Nephthys, enfin, celui de l'ouest à Isis, et il est écrit que pour « tout défunt sur le cercueil de qui on aura dessiné ces figures, leurs souffles entreront dans sa narine ».

Sur la caisse de Chelidona, les vents d'est et d'ouest, c'est-à-dire Nephthys et Isis, sont figurés à la tête de la défunte, en correspondance avec la représentation de ces déesses au chevet de celle-ci sur la planche, tandis que les vents du nord et du sud, en l'occurrence Osiris et Rê, sont du côté des pieds, côté de la renaissance.

Les corps des serpents, pourvoyeurs de crue, forment six entrelacs à l'intérieur desquels sont enchâssés six yeux, destinés à détourner les forces maléfiques. La plume figurée devant eux symbolise la puissance cosmique et la couleur verte de leur corps signifie renouveau/régénération. Ils sont la transposition de la constellation du Lion, dont l'apparition dans le ciel correspondait au début de la crue du Nil, à la mi-juillet de notre calendrier.

Si sur le *petit côté de la caisse* correspondant à la tête de Chelidona est simplement peint Horus-faucon, réplique de celui qui est figuré sur la planche, flanqué de deux serpents ondulant sur les montants, en revanche le côté des pieds est plus élaboré. En effet, il a été conçu, grâce à un jeu de corniches superposées reposant sur des colonnettes et des pilastres, pour représenter un décor de temple, à l'intérieur duquel apparaît, dans le ciel figuré par son signe hiéroglyphique, la défunte, devenue un Osiris, honorée par Horus et Anubis ; une double représentation du disque solaire ailé avec des uræus* surmonte le hiéroglyphe du ciel. Sur les pilastres ondulent des serpents-rinceaux de vigne, emblèmes de vie éternelle.

*Petit côté du cercueil de
Chelidona en forme de naos**
Thèbes (?)
IIIe siècle apr. J.-C.

Ce *petit côté* symbolise la tombe temple, que la défunte quitte et retrouve, selon la course du Soleil, auquel elle est assimilée, les vents et les serpents peints sur la caisse représentant les deux éléments indispensables à sa survie : l'air et l'eau.

La *partie médiane de la caisse* porte les restes d'une inscription en démotique : prière pour que le *ba** de la défunte vive et rajeunisse éternellement, qu'elle soit protégée d'Osiris et qu'elle intercède auprès de lui en faveur de ceux qui lui ont donné une sépulture.

L'un des espaces encadrés par les vents, peut-être réservé à une inscription en hiéroglyphes, est resté vierge, l'autre contient l'épitaphe écrite en grec par l'époux de la défunte : « Belle Chelidona, à la chevelure bouclée, ayant vécu de façon irréprochable 36 ans, 6 mois et 10 jours, grâce aux soins de sa fille [illisible] et à l'aide de son époux Eukleitos [?], […] de Chelidona, pour son bien repose en paix Eukleitos a enseveli sa compagne.[1] »

Chelidona veut dire « hirondelle » en grec ; son utilisation comme nom propre est, semble-t-il, extrêmement rare, la seule autre mention connue l'est pour une courtisane en Grèce.

1. A ce jour, aucune traduction plus satisfaisante n'a été trouvée. [N. d. E.]

*Détail du cercueil de Chelidona :
épitaphe en grec*
bois peint
Thèbes (?)
IIIe siècle apr. J.-C.

Les cartonnages
(IIᵉ-IVᵉ siècle apr. J.-C.)

Les cartonnages, issus d'un savoir-faire dont les premiers exemples datent de la fin de l'Ancien Empire, sont utilisés sans interruption jusqu'au IVᵉ siècle apr. J.-C. Le procédé consiste à agglomérer et à presser plusieurs épaisseurs de toile de lin ou de papyrus (préféré au Fayoum), afin d'obtenir un matériau mince et malléable à l'état humide, qui, mis en forme, épouse soit le buste, soit la momie entière, et qui, une fois sec, veut imiter, par sa rigidité, la dureté de la pierre. Le résultat était ensuite stuqué, peint et doré.

Cette fabrication se simplifie au cours du IIᵉ et du IIIᵉ siècle, avec les cartonnages de Pebôs et de Cratès, où seuls les masques sont confectionnés selon ce procédé, l'empièvement rectangulaire qui les prolonge étant simplement de la toile de lin stuquée et peinte. Elle s'achève avec le cartonnage provenant de Deir el-Bahari, exemplaire de l'écart entre la pauvreté des matériaux et la richesse qu'ils prétendent imiter.

Cartonnage de Cratès
Deir el-Médineh
IIᵉ siècle apr. J.-C.

– Les cartonnages de Pebôs et de Cratès [vitrines 1 et 8] (IIᵉ-IIIᵉ siècle apr. J.-C.)

Le faucon, ailes éployées, protège les têtes, dont le front est ceint de la couronne de justification, faite de feuilles de myrte et ornée de cabochons. Les pans du *némès** retombent de chaque côté du cou. Sur les plastrons, la façade du *naos** a deux divinités, probablement deux aspects du dieu Horus, pour colonnes et pour fronton un scarabée, image de Rê, auquel le mort est identifié. Sur le cartonnage de Pebôs, cette identification est confirmée par la double représentation de l'uræus* protecteur et d'Horus en faucon, apportant le souffle de vie grâce aux plumes qu'il tient dans ses serres.

Sur les registres, de bas en haut, Anubis embaume le mort, assisté par Isis et Nephthys, les vases* canopes étant rangés sous le lit, avec, en plus pour Pebôs, deux vases à libation. Au-dessus, pour Pebôs, un seul registre : le défunt en Osiris assis, de stature monumentale, avec les divinités qui lui rendent hommage – Anubis et Nephthys, d'un côté ; Horus et deux fois Isis faisant l'offrande des étoffes, de l'autre côté. Pour Cratès, deux registres : les quatre fils d'Horus en génies protecteurs, avec les génies porteurs de couteau, gardiens des portes du monde de l'au-delà ; puis au-dessus, tenant la plume, symbole de justice, des génies à tête de taureau, de faucon et de bélier, assesseurs du tribunal d'Osiris.

Pebôs, mort à 73 ans, et Cratès, mort à 17 ans, faisaient partie d'une famille de cinq membres enterrés dans des cercueils en bois de pin. Les cartonnages étaient cousus sur des linceuls analogues au fragment présenté dans la même vitrine.

Ce qui frappe, c'est le contraste entre l'élégante stylisation des visages, aux traits schématiques, et des têtes de faucon des divinités, formant le cadre, et la simplification empreinte de verve caricaturale des figures des registres : les bras sont supprimés, mais les fesses sont rendues par une petite bosse.

– Cartonnage E 20359 [vitrine 1] (IVᵉ siècle apr. J.-C.)

Une verve encore plus accentuée anime le plastron le plus tardif. Fait d'un morceau de toile grossière à la trame lâche, façon serpillière, il est découpé suivant le dessin architectural d'une niche.

Buste en cartonnage d'homme
Deir el-Bahari
IIIe-IVe siècle apr. J.-C.

Le fond de couleur jaune, couleur de l'or, sur lequel se détache la face en relief du défunt, préfigurant l'icône, symbolise la divinité du mort ; la représentation schématique met l'accent sur les yeux agrandis et soulignés par un épais trait noir, ainsi que les sourcils. Le visage est entouré par un collier de barbe, une moustache ombre la bouche, et le menton est partagé par un prolongement de la barbe courte. Le défunt ceint une couronne ornée de gros cabochons de plâtre en relief, peints à l'imitation des pierres précieuses, à son cou pend un pectoral d'or.

Il tient la guirlande du justifié* d'Osiris et une coupe remplie de vin, attribut de Dionysos, dieu assimilé à Osiris. Il porte un vêtement aux manches ornées de franges.

Une seule représentation orne le plastron : la barque de Sokaris encadrée par les deux chacals portant la clé du monde des morts au cou. Sur l'épaule gauche du défunt est peint un svastika*, motif courant dans le répertoire décoratif de la Grèce préhellénique.

Portrait d'homme

plâtre peint
Antinoé
Ier siècle apr. J.-C.

Portrait de femme

plâtre peint
Touna el-Gebel
Ier siècle apr. J.-C.

Les masques plastrons [vitrines 7, 8, 9, 10, 2 et 1]
(Ier-IVe siècle apr. J.-C.)

L'usage de recouvrir la momie du défunt de son effigie en plâtre naît à la fin de l'Ancien Empire. On retrouve cette fabrication à Hawara, dans l'oasis du Fayoum, à fort peuplement grec, à la fin de l'époque ptolémaïque, sous forme de plastrons en plâtre mince s'arrêtant à la taille, peints et dorés, comme le montre le *masque plastron* empreint d'un sourire archaïsant à la mode grecque [vitrine 7].

Ce sont les fouilles du site de Touna el-Gebel (Moyenne-Egypte) qui ont fourni le plus grand nombre de masques plastrons d'époque romaine, avec d'autres sites comme Antinoé [vitrines 9 et 10] et Akhmim [vitrine 8], ces derniers toutefois en moindre quantité.

Comme son équivalent en cartonnage, le masque plastron est un portrait au même titre que l'effigie peinte sur bois ou sur toile. Il évolue, au cours des IIe et IIIe siècles, sous l'influence de la représentation en ronde bosse ; la tête se dégage du masque horizontal pour se dresser à la perpendiculaire du plastron, suggérant l'éveil du défunt, devenu Osiris, à la vie éternelle.

Parallèlement au redressement progressif de la tête, on assiste peu à peu, pour les masques plastrons féminins, à l'escamotage de la poitrine : encore bien représentée au début du IIe siècle, comme sur le plastron fragmentaire E 11485 [vitrine 8], elle se réduit à

Portrait de femme

plâtre peint
Akhmîm
IIe siècle apr. J.-C.

Deux portraits d'hommes

l'un en plâtre, l'autre peint sur bois
IIIe siècle apr. J.-C.

deux petites excroissances sur le plastron AF 6698 du IVᵉ siècle [vitrine 2].

La plupart des masques plastrons sont fabriqués en série ; la différenciation concernant le sexe ou les époques était opérée par les coiffures et autres détails capillaires. Un petit nombre seulement sont des portraits réalistes.

Perceptible sur trois masques datés de 160-180 apr. J.-C. [vitrines 7 et 8], manifeste pour les « têtes-boules » du IVᵉ siècle apr. J.-C. [vitrines 7 et 1] est la résurgence du style de Mirgissa, caractérisé par la schématisation des traits et le dessin de l'œil en oblique avec la paupière surplombante, donnant aux visages un air bouddhique.

– Les masques plastrons à dosseret [vitrine 2]
Leur structure réunit un plastron et un dosseret cintré. La tête, modelée en plâtre sur une âme de bois, ou composée de morceaux de bois noyés dans le plâtre, est fixée sur le plastron. Le tout est habillé d'une couche de stuc et peint de couleurs vives.

Ces objets combinent le portrait en ronde bosse, pour le plastron, et l'architecture du *naos**, pour le dosseret, où, en général, le défunt est représenté entre les quatre fils d'Horus. Sur un plastron, une frise d'uræus* protecteurs, du moins ce qu'il en reste, fixée sur la corniche, entoure la tête de la défunte.

Portrait d'homme
plâtre peint
Touna el-Gebel
IIIᵉ siècle apr. J.-C.

Portrait d'homme
plâtre peint
Touna el-Gebel
IIᵉ siècle apr. J.-C.

Portrait de femme
plâtre peint
Touna el-Gebel (?)
IVᵉ siècle apr. J.-C.

Plastron à dosseret d'homme
bois et plâtre
Touna el-Gebel
IIIᵉ siècle apr. J.-C.

Plastron à dosseret de femme
bois et plâtre
Touna el-Gebel
IIIᵉ siècle apr. J.-C.

Momie et portrait d'Eudaimôn
Antinoé (?)
IIe siècle apr. J.-C.

Les portraits sur bois et sur toile
(Ier-IVe siècle apr. J.-C.)

Nous savons, grâce aux témoignages écrits, que la peinture sur panneau de bois était pratiquée en Grèce, peut-être à partir du VIe siècle av. J.-C., et certainement aux périodes classique et hellénistique. Aucune de ces œuvres n'est parvenue jusqu'à nous en raison de la nature périssable du support.

Quant au genre du portrait, tel que nous le concevons, c'est-à-dire ressemblant ou réaliste, bien que Cicéron mentionne, dans l'affaire Verrès (vers 69-68 av. J.-C.), 27 tableaux « représentant les portraits des rois et des tyrans de Sicile, dont ils rappelaient et faisaient connaître les traits », il aurait une origine romaine où s'exercerait une forte influence étrusque. A partir de l'époque impériale, la mode du portrait en buste ou en pied, exécuté avec les matières et les techniques les plus diverses, dont la peinture sur panneau de bois ou sur toile, est répandue dans toutes les classes de la société romaine.

Pline l'Ancien (*Histoire naturelle*, 35, 5, 1) raconte que Néron, manifestant ainsi sa mégalomanie, s'était fait représenter sur une toile de 120 pieds de haut (env. 40 m), que la foudre, peut-être instrument du courroux divin, avait détruit.

En Egypte, le portrait à usage funéraire apparaît au Ier siècle apr. J.-C., avec l'occupation romaine, peint soit sur le linceul, soit sur un papyrus ou un panneau de bois mince, inséré entre les bandelettes de la momie, à l'emplacement du visage [vitrine 8]. Avec la mention du nom, il représente une garantie de survie du mort en tant qu'individu déterminé. Cette préoccupation est nouvelle, car jusque-là la tradition voulait que les traits fussent, au contraire, idéalisés afin de ressembler à l'image que l'on se faisait de la divinité.

– Les portraits sur panneau de bois
[vitrines 7, 8, 9, 10, 1, 2 et 13]
Le plus grand nombre de ces portraits ayant été trouvés dans divers sites de l'oasis du Fayoum, ils ont reçu l'appellation de « portraits du Fayoum », mais, ne serait-ce que pour ceux qui sont exposés ici, ils peuvent avoir d'autres provenances, comme Antinoé, Thèbes ou Memphis.

Le support est le plus souvent un panneau de bois importé : on a pu reconnaître des essences comme le

Portrait de jeune femme
bois peint
Antinoé (?)
fin du IIIᵉ siècle apr. J.-C.

Portrait d'homme
Antinoé (?)
bois peint
IIIᵉ siècle apr. J.-C.

chêne, le hêtre, le sapin, le tilleul surtout. On trouve aussi des essences indigènes comme le ficus carica ou le sycomore.

La technique utilisée est la peinture à la cire, d'origine gréco-romaine, prépondérante du Iᵉʳ au IIIᵉ siècle apr. J.-C. ; elle se voit concurrencée au cours du IIIᵉ siècle par la peinture à la détrempe. Dans les deux factures, l'étincelle de vie est toujours donnée au regard grâce à une minuscule touche blanche posée sur la pupille.

Les portraits peints à la cire, en général de trois quarts, sont caractérisés par un modelé rendu par des petites touches juxtaposées et délicates, travail lent et méticuleux que permet ce procédé ; le vêtement étant traité à larges coups de brosse.

Il est amusant de constater que certains portraits sont peints à la cire selon la technique de la détrempe, qui nécessite une exécution rapide puisqu'elle sèche vite. Par exemple, sur le *portrait de femme* du IIIᵉ siècle [vitrine 2] et le *portrait de femme* du IVᵉ siècle [vitrine 1] ne figure aucun modelé, les couleurs sont appliquées en à-plats, les volumes étant rendus au moyen de traits épais et de hachures.

Le *portrait de femme à vêtement jaune* montre un traitement identique à celui de l'homme représenté sur la *grande tenture* [vitrine 1]. Tous deux sont peints à la détrempe – malgré un support différent – et présentent

Portrait de jeune femme

bois peint
Thèbes (?)
IIIe siècle apr. J.-C.

Portrait de femme

bois peint
Fayoum (?)
IVe siècle apr. J.-C.

la même prédominance du graphisme et la même utilisation de fines hachures pour rendre les volumes.

Au IVe siècle, le portrait ressemblant ou individualisé tend à s'effacer au profit d'une représentation schématique qui rapproche le portrait peint sur bois des têtes en plâtre dites « têtes boules ».

Fragment de cercueil :
portrait du défunt

bois peint
IVe siècle apr. J.-C.

– Les portraits sur toile
La tenture funéraire représentant le mort
entre Osiris et Anubis [vitrine 6]
(peinte à la détrempe vers 100 apr. J.-C.)
Trois figures sont debout sur la barque funéraire, frêle
esquif fait de bottes de papyrus liées. Autour et entre

les pieds du mort, de minces silhouettes noires font avancer la barque au moyen d'une longue perche.

Au centre, le mort se dresse pieds nus sur un piédestal. Le piédestal et la nudité, partielle ou totale, signifient, dans l'iconographie grecque, que le défunt est figuré en héros, statut intermédiaire entre l'humain et le divin. Vêtu d'une tunique et d'un manteau immaculé, il est légèrement déhanché dans une pose répondant au canon de Polyclète. Il tient la couronne du justifié* d'Osiris, repliée en nœud, symbole de vie éternelle. A droite de sa tête, la Chimère, divinité funéraire grecque, ici lion ailé, coiffé du disque solaire avec l'uræus*. A droite se tient le noir Anubis : la couleur noire symbolise la régénération. Le *némès** couvre l'arrière de sa tête. Anubis entoure le mort de ses bras dans un geste signifiant protection et embaumement. L'embaumement prélude à la naissance à la vie éternelle, ainsi que l'indique la présence des quatre fils d'Horus : à la fois images des vases* canopes, réceptacles des entrailles du mort, et génies chargés de le protéger. Hapi est ici figuré avec une tête de chien, l'exécutant s'étant fié, semble-t-il, au nom de « cynocéphale » que les Grecs donnent au babouin. Anubis est vêtu d'un pagne long à l'ancienne, illustrant le double rôle de ce dieu : il est en effet peint mi-parti d'un motif de bandelettes de couleur écrue et mi-parti d'un dessin de plumes vertes imbriquées, propre au costume divin. La couleur verte est symbole de renaissance. L'oreille pointue qui se détache sur le disque d'argent de la lune pleine, symbole également de renaissance, confirme la fonction d'Anubis : faire accéder le défunt à la vie éternelle, faire de lui un nouvel Osiris, dressé à la droite du mort héroïsé. Anubis est dessiné une seconde fois, à la droite de la jambe du défunt, tenant la balance pour la pesée de l'âme, épisode complémentaire du jugement par Osiris.

Le défunt est divinisé en Osiris Hydreios, forme hellénisée d'Osiris portant le *némès** surmonté de la couronne* *atef*. Ce dieu, honoré à Délos à partir du IIe siècle av. J.-C., représente la synthèse entre Osiris et l'hydrie (ou aiguière), vase sacré destiné à contenir l'eau du Nil lors des processions isiaques.

Cette eau est indispensable à la survie du défunt, d'où la représentation du chadouf, système égyptien pour puiser l'eau, à la droite de la tête du défunt.

En Égypte, du Ier au IIIe siècle, le dieu Osiris Hydreios est l'objet d'un culte populaire sous la

Tenture funéraire
toile de lin peinte
Saqqara
fin du 1ᵉʳ siècle apr. J.-C.

dénomination d'Osiris Canope ; il est figuré en vase factice à panse globulaire, décoré de reliefs à caractère cultuel, surmonté de la tête du dieu coiffé du *némès** et de la couronne* *atef*.

Le portrait du défunt est peint à la cire sur une pièce de tissu visiblement découpée et rapportée sur cette tenture.

Cette œuvre n'est pas un linceul, car la représentation d'Osiris n'est pas centrale comme sur le linceul de Padiimenipet [vitrine 3]. Il semble plutôt que, comme les momies à portrait, cette tenture soit un exemple de culture mixte. Elle reprend en effet le schéma de la stèle funéraire égyptienne, où le mort est debout entre Osiris et Anubis, pour mettre en valeur l'individualité du défunt sous forme de portrait en pied, campé au centre de la composition.

*La tenture funéraire représentant le mort
entre Isis et Nephthys* [vitrine 1]
(peinte à la détrempe, IIIe-IVe siècle apr. J.-C.)
Elle figure deux moments de l'existence *post mortem*
du défunt, à lire de bas en haut : son voyage dans le
monde souterrain et son apothéose.

Le voyage dans le monde souterrain est symbolisé
par la barque, dont une extrémité est à l'effigie du
taureau Apis, forme d'Osiris, et l'autre à celle du
bélier, forme nocturne de Rê, le Soleil. Elle vogue au-
dessus de nénufars, symbole de renaissance. Le mort
est représenté dans un décor architectural évoquant un
temple, image de son apothéose.

Apothéose : quatre colonnes à tambours alternativement blancs et bleu sombre, surmontées de corniches
à gorge égyptiennes, elles-mêmes coiffées d'une frise de
couronnes* *atef*, définissent le temple avec son enceinte
extérieure, la chapelle à l'intérieur du sanctuaire, réservée au mort divinisé, et les chapelles latérales pour Isis
et Nephthys.

Les déesses entourent le mort de leurs bras dans un
geste signifiant protection et vénération. Elles sont
vêtues de la robe fourreau à l'ancienne ; elles ont, sur
un cache-perruque à damier, une dépouille de vautour
supportant – entre les cornes de vache accompagnées
de l'uræus* –, pour Isis le hiéroglyphe correspondant à
son nom, « le trône », et, pour Nephthys, celui qui
signifie « la maison du dieu ». Selon la tradition égyptienne, les déesses ont une stature inférieure à celle du
défunt divinisé.

Au centre se dresse le mort, devenu Osiris, dont il
porte la couronne. Une large écharpe de laine à
longues franges, sur laquelle on distingue les restes
d'une inscription verticale en lettres rouges, retombe le
long de sa jambe gauche. Il porte, sur des cheveux gris,
une couronne de myrte. Selon la convention du dessin
égyptien, il se présente le buste de face et les jambes de
profil ; la main gauche tient le rouleau de papyrus,
sauf-conduit pour l'éternité, et la droite la guirlande
du justifié* d'Osiris.

Dans leur rôle de divinités protectrices, Anubis,
faisant le geste d'adoration, et le faucon Horus, les
ailes étendues, sont figurés au chevet du mort.

Le champ entre les divinités est rempli de
vignettes où alternent emblèmes funéraires grecs et
égyptiens hybrides. Derrière Isis, du haut vers le bas :

Tenture funéraire
toile de lin peinte
Saqqara
IIIᵉ siècle apr. J.-C.

un sphinx ; Anubis-Petbe avec le sceptre* *heka* d'Osiris ; Khepri, image du Soleil naissant ; la couronne osiriaque ; deux uræus* affrontés ; enfin, un aviron gouvernail. Derrière Nephthys : Hathor sous sa forme de vache, dans sa fonction de déesse des morts, la couronne osiriaque et, de nouveau, un aviron gouvernail.

Contre l'enceinte extérieure du temple se presse le cortège funéraire, figuré par deux personnages, portant des hampes surmontées de rosettes et de palmes stylisées. Dans la tradition pharaonique, la palme est un symbole de l'année et du temps, et donc de la vie éternelle ; à l'époque romaine, elle signifie en plus la victoire sur la mort.

Par la stylisation de ses traits, la tête du défunt, dont la coiffure rase souligne l'arrondi du crâne, est proche des cartonnages de Pebôs et de Cratès.

La couronne de myrte, l'inscription verticale en rouge sur l'écharpe, commençant par « Bon courage », ainsi que l'emblème du sphinx, amènent à penser qu'il s'agit du portrait d'un Grec.

Cette tenture, quoique d'un aspect monumental, montre les indices d'une dégradation du savoir : la couronne* *atef* à laquelle il manque la couronne blanche en forme de mitre, certains emblèmes incompréhensibles, et surtout les colonnes de pseudo-hiéroglyphes représentées derrière Isis et Nephthys.

Antinoé [vitrines 9 et 10]

(voir également, « Antinoé dans les collections », p. 17)

La ville fut fondée par Hadrien en 130 apr. J.-C., à l'endroit où fut trouvé le corps de son favori Antinoüs, mort noyé dans le Nil. Ce drame coïncida avec le dessein politique de ce souverain de fonder en Moyenne-Egypte une cité de statut et de peuplement exclusivement grecs, à l'instar de l'antique Naucratis, dans le Delta, et de Ptolémaïs, en Haute-Egypte.

Dans la mesure où l'on peut se fier aux travaux d'Albert Gayet, les fouilles ont mis au jour des masques plastrons en plâtre peint, des portraits peints sur planchette de bois ou des momies enveloppées de linceuls sur lesquels est peint le portrait du défunt, datés du IIᵉ au IVᵉ siècle, pour la période romaine.

– Les masques plastrons

Ils sont de style semblable à ceux trouvés en grand nombre à Touna el-Gebel, nécropole d'Hermopolis, située non loin d'Antinoé ; ce qui laisserait supposer qu'ils étaient fabriqués à Touna pour être utilisés à Antinoé, d'autant que quelques-uns sont, par le type de coiffure, antérieurs à 130 apr. J.-C.

Portrait de jeune garçon
plâtre peint
IIIᵉ siècle apr. J.-C.

Portrait de femme
bois peint
Antinoé
IIᵉ siècle apr. J.-C.

Portrait de jeune garçon
bois peint
IIᵉ siècle apr. J.-C.

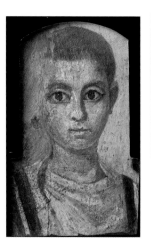

– Les portraits peints sur planchette de bois
Vingt à trente portraits sont actuellement répertoriés : la majorité d'entre eux sont conservés au Louvre et au musée des Beaux-Arts de Dijon, moins d'une dizaine dans des musées étrangers. Ils sont reconnaissables grâce à une découpe spécifique dite « à épaulures ».

Selon des sources papyrologiques, des colons grecs sont venus du Fayoum pour s'établir à Antinoé, tout en gardant des attaches avec leur lieu d'origine, apportant avec eux leurs portraits. Cela expliquerait qu'un portrait de femme dont le type de coiffure date du règne de Trajan (98-117 apr. J.-C.) [vitrine 7], donc avant 130, ait été trouvé à Antinoé.

– Les linceuls peints à portrait
La technique consiste d'abord, au moyen de planchettes et de rembourrages, à rigidifier la momie pour imiter un cercueil ; ensuite, on l'enveloppe avec le linceul de manière à ce qu'il épouse exactement la forme de la momie. Sur le linceul, le défunt était figuré en buste,

Momie dans son linceul : portrait en buste
IIIᵉ siècle apr. J.-C.

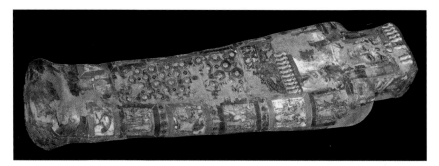

comme apparaissant à l'intérieur d'une chapelle ; le reste du corps, sauf les pieds, était recouvert d'une résille faite de motifs géométriques élaborés. Sur les côtés, les divinités et les scènes, copiées du *Livre pour sortir le jour*, sont disposées en registres verticaux.

La peinture à la cire est employée pour le portrait en buste, et la détrempe pour les représentations et le décor. Des éléments en relief en stuc doré à la feuille sont ajoutés sur certains linceuls : uræus*, cabochons ornant la résille, collier torque et signe *ankh**.

Ces linceuls à portrait sont la transposition sur toile des cercueils tabernacles en bois ou papyrus en usage dans l'oasis du Fayoum au début du Ier siècle apr. J.-C., imitant le *naos** pharaonique, réceptacle de la statue du dieu. Conçus pour être dressés, ces cercueils étaient munis de portes, ou de volets dans leur partie supérieure, s'ouvrant sur la momie, placée debout à l'intérieur, à la façon d'un dieu dans sa chapelle, au plus profond du temple. Sur les côtés étaient peintes divinités et figures funéraires.

Les portraits peints à la cire sur linceul, fabriqués au Fayoum à partir du Ier siècle apr. J.-C., confirment les liens, attestés par les sources papyrologiques, unissant Antinoé à la plus importante colonie grecque d'Egypte.

Détail de la momie dans son linceul : portrait en buste
fin du IIe siècle apr. J.-C.

Linceul d'enfant
toile de lin peinte
IIIe siècle apr. J.-C.

La tombe et le culte funéraire

La pratique de la momification conduit à la saturation des nécropoles et à son corollaire, la crise du logement, les gens désirant reposer en ces « lieux de vie » jouxtant les temples où étaient vénérés dieux et rois, pour bénéficier de leur protection. A l'époque romaine, diverses solutions sont trouvées avec, en constante, la sépulture familiale ou collective.

La *famille de Sôter* [vitrine 3] était inhumée, à Thèbes, dans un caveau aménagé au Nouvel Empire dont les anciens occupants, sauf un, avaient été délogés.

Dans le village ramesside de Deir el-Médineh, la *famille de Pebôs et de Cratès* [vitrine 1], prêtres de Sarapis, reposait dans le sous-sol d'une maison aménagé en caveau.

Buste funéraire de prêtre
calcaire
Oxyrhynchos
IIIe siècle apr. J.-C.

*Statue funéraire
d'une prêtresse d'Isis*
calcaire
Oxyrhynchos
fin du IIIe siècle apr. J.-C.

A l'intérieur du temple d'Hatshepsout, abandonné à la Basse Epoque, la chapelle d'Anubis avait été transformée en sépulture collective ; y furent trouvées plusieurs momies portant des cartonnages semblables au numéro E 20359 [vitrine 1], certaines ensevelies dans des cercueils en terre cuite en forme de grandes jarres, d'autres dans des cercueils en bois, vidés de leurs anciens occupants, le nom du nouvel occupant étant rajouté en grec.

Figurines funéraires
terre cuite

A Touna el-Gebel, nécropole d'Hermopolis, la *tombe temple familiale de Petosiris*, de la fin du IVe siècle av. J.-C., fut convertie en sépulture collective, les masques plastrons en plâtre, attachés sur les momies, affleurant sur le sable.

Il semble que, à Oxyrhynchos, l'influence de Palmyre se soit exercée dans la conception de la tombe : en effet, dans des chambres souterraines, les *statues funéraires* [vitrine 14] étaient sculptées en haut relief à l'intérieur de niches orientées à l'est et ornées d'une arcature, devant lesquelles était disposée une banquette.

Têtes votives
terre cuite

Les *stèles de Kom Abou Billou* [vitrine 5] étaient placées contre le mur du fond de la niche aménagée dans la paroi est de la structure élevée au-dessus du caveau. Une table d'offrandes était disposée devant la niche. Les *stèles provenant de Tehneh* [vitrine 5] étaient incluses dans des structures analogues, quoique plus sommaires.

Au Fayoum, les momies avec portrait, après avoir, semble-t-il, été l'objet d'un culte domestique, furent trouvées ensevelies pêle-mêle dans de simples fosses creusées dans le sable, à faible profondeur.

Le culte funéraire de l'époque romaine consistait surtout à prodiguer des libations d'eau fraîche et à brûler de l'encens, accessoirement à déposer des offrandes de nourriture. A l'intérieur de la tombe, ou en contact avec la momie, sont déposés des objets familiers, de la vaisselle d'apparat, comme des vases en faïence ou en verre, des lampes, ainsi que des couronnes, des guirlandes et des palmes, et des *figurines dites funéraires* en terre cuite [vitrine 5].

Les mots suivis d'un astérisque sont explicités dans un lexique, en début de volume.

Page précédente :

Tapisserie au Jonas, détail (voir p. 126)

Présentation

Les collections coptes conservées au département des Antiquités égyptiennes du musée du Louvre sont gérées dans le cadre d'une section spécialisée. Depuis 1934, elles étaient présentées dans des salles voisines des salles pharaoniques. Cependant, leur implantation ne présentait aucune logique de circuit et ne permettait pas de comprendre l'héritage culturel dans lequel les coptes puisèrent pour concevoir un art original. En effet, les collections étaient coincées entre les salles de l'Ancien et du Nouvel Empire ; d'autre part, le circuit s'effectuait en sens inverse de l'arrivée des visiteurs.

Le réaménagement complet des collections pharaoniques prévoyait donc tout naturellement le redéploiement sur ces espaces coptes. Cette décision entraîna alors le transfert global des antiquités coptes dans un autre secteur du Louvre. De plus, l'Egypte chrétienne s'inscrit dans le contexte plus large des débuts du christianisme et de son expansion dans le monde méditerranéen, dans lequel elle a joué un rôle fondamental (monachisme). La jonction avec l'Egypte pharaonique, quoique légitime, ne paraît pas essentielle : l'Egypte copte fait partie du monde romain, byzantin puis islamique, dans lequel s'évanouissent les influences pharaoniques.

Trois ailes, disposées autour de la cour Visconti, seront consacrées à l'art et à la civilisation de l'Egypte romaine et chrétienne. Après avoir parcouru la salle funéraire romaine, puis la galerie retraçant les autres aspects de l'Egypte romaine (Ier-IVe siècle), le visiteur poursuivra par les premiers témoins d'art copte (IIIe-IVe siècle) qui plongent leurs racines dans la période précédente.

L'amélioration sensible des surfaces, qui sont quasiment doublées, a permis de sortir des réserves des œuvres importantes qui n'avaient pas pu être présentées jusque-là et de reconstituer le volume complet de l'église de Baouit. D'autre part, la création de vitrines spécifiques pour l'exposition des tapisseries et des vêtements permettra une rotation régulière de ces textiles dont la section copte conserve l'une des plus importantes collections.

Marie-Hélène Rutschowscaya

Historique et état
de la collection

Les plus anciens témoignages d'objets coptes entrés au musée du Louvre apparaissent dans le premier inventaire du département des Antiquités égyptiennes, rédigé sous Napoléon III et terminé en 1857. Entre 1870 et 1895, c'est sous la direction du conservateur Eugène Révillout qu'une considération particulière fut apportée aux documents coptes et démotiques. Durant cette période eurent lieu de nombreux achats de manuscrits, de papyrus et d'*ostraka** coptes.

Georges Bénédite, conservateur au département des Antiquités égyptiennes de 1895 à 1926, entreprit à son tour une politique d'achats en Egypte même. De ses missions, il rapporta au Louvre des objets d'époque copte achetés pour la plupart à des antiquaires du Caire.

Mais ce sont les grandes fouilles de la fin du XIXe siècle et de la première moitié du XXe siècle qui forment véritablement le noyau de la section copte du musée du Louvre.

En 1895, Emile Guimet, industriel lyonnais, chargea Albert-Jean Gayet d'assurer sur le site d'Antinoé (voir p. 17-23) la direction de fouilles qui se prolongèrent jusque vers 1911. Elles furent tour à tour subventionnées par le musée Guimet, la chambre de commerce de Lyon, la Société du palais du Costume, le ministère de l'Instruction publique, des Beaux-Arts et des Cultes et, enfin, la Société française de fouilles archéologiques. Des lots d'objets furent alors directement donnés au musée du Louvre (*voile d'Antinoé*, 1906), mais la plus grande partie du produit des fouilles appartenait au musée Guimet, fondé à Lyon en 1879 et transféré à Paris en 1888. Ce n'est qu'en 1947 que l'ensemble de sa collection égyptienne, comprenant de très importantes séries romaines et coptes, fut cédé au département des Antiquités égyptiennes du Louvre.

La cession, par l'Egypte, de la moitié du produit des fouilles du monastère de Baouit (Moyenne-Egypte), entreprises de 1901 à 1905 sous la direction de Jean Clédat, suivies d'une campagne dirigée par Jean

Maspero en 1913, dota le Louvre de pièces architecturales en pierre et en bois, ainsi que de peintures, de première importance.

D'autres sites livrèrent des séries d'objets, celles-ci, peu nombreuses, mais toujours de qualité : Edfou, Eléphantine, Médamoud, les Kellia, Tôd. Les fouilles récentes du musée du Louvre à Tôd (Haute-Egypte) donnèrent lieu à un partage en 1982, composé en grande partie par un lot de céramiques coptes en très bon état de conservation.

Naturellement, les dons et surtout les achats continuent à être le mode d'acquisition le plus fréquent (*tissu aux amours vendangeurs*, 1979). En 1950, l'archéologue français Raymond Weill légua, sous réserve d'usufruit au profit de son épouse, une importante collection de plus de mille cinq cents objets égyptiens, qui entrèrent au Louvre en 1992. La section copte s'est alors enrichie d'environ deux cents tissus ornés, d'objets en bois et en bronze, dont certains exemplaires n'étaient pas représentés jusque-là dans les collections.

Après le Musée copte du Caire, la section copte du Louvre rassemble la plus grande collection d'objets permettant de retracer l'art et la civilisation de l'Egypte chrétienne, à partir du IIIe siècle apr. J.-C.

Les sculptures en pierre, architecturales ou funéraires (stèles), constituent une série d'à peu près quatre cent cinquante objets ; beaucoup proviennent de Baouit. Les objets en bois, architecturaux ou mobiliers, atteignent le chiffre de cinq cent soixante-dix pièces. Le fonds le plus important de la collection est formé par les tissus et les tapisseries en lin, laine et soie : plus de quatre mille pièces, dont environ mille cinq cents proviennent de fouilles. Il est possible, sans discontinuité, de suivre l'évolution de cette technique à partir du IIIe siècle.

Un ensemble d'objets en cuir (chaussures et sandales, paniers, étuis à calames) peut être chiffré à environ deux cents pièces. Les objets en métal (bronze, cuivre, fer ou argent) offrent un échantillonnage bien représentatif de cette technique, aussi bien par le caractère exceptionnel de certains objets que par la variété des types (lustres, croix, lampes, encensoirs, vases de toutes sortes...). En tout, plus de trois cent quatre-vingts objets. Une petite collection comptant cent à cent vingt pièces de verrerie est constituée de coupes, de vases et de nombreuses petites fioles servant probablement à contenir des onguents et des parfums.

Une série intéressante réunit environ deux cents objets d'ivoire et d'os sculptés. La collection de céramique est loin d'être négligeable : environ un millier de pièces et de nombreux tessons, auxquels viennent s'ajouter quarante-cinq empreintes en terre crue et une importante série d'un millier d'*ostraka**.

L'ensemble des manuscrits (environ trois cents papyrus, quatre cent vingt parchemins et une dizaine de tablettes en bois) est composé, entre autres, de fragments bibliques, d'œuvres du moine Chenouté, de textes documentaires et de textes magiques.

Enfin, la section copte abrite quelques peintures (murales, sur bois, sur toile) qui forment un ensemble modeste de cinquante-neuf objets, mais dont quelques-uns sont des témoins particulièrement représentatifs de la peinture monastique.

Entreprise par Georges Bénédite, une salle dite « salle de Baouit », installée dans l'aile de Flore, fut inaugurée en 1929. Elle se composait d'une longue salle d'une trentaine de mètres, flanquée de deux tourelles et de trois petites niches rectangulaires. On y avait regroupé des objets d'époques grecque et romaine (terres cuites égyptisantes, masques en plâtre et portraits du Fayoum), copte et islamique. Son successeur, Etienne Drioton, rapporte que Bénédicte « avait fait attribuer à son département et commencé à aménager, près de la Cour de l'En-Cas, une longue salle voûtée flanquée de deux rotondes, dont le clair-obscur discret, évoquant l'atmosphère recueillie d'une église, lui semblait le cadre rêvé pour la présentation de sa collection chrétienne ». Sur l'un des murs de la salle avaient été accrochés des éléments architecturaux provenant de Baouit ; là était déjà résolument affirmée la volonté de présenter les œuvres dans leur contexte d'origine : « La partie inférieure du mur qui séparait ces deux chapelles [il s'agit en fait de l'église sud et d'une salle attenante] a pu être partiellement reconstituée au Louvre, ainsi que la porte qui s'ouvrait dans la partie ouest de ce mur » (Charles Boreux).

A partir de 1934, la nécessité de regrouper les collections du Louvre amena à transférer les antiquités coptes dans deux salles faisant suite à la salle consacrée à l'époque saïte, situées au rez-de-chaussée du département des Antiquités égyptiennes, dans l'aile sud de la cour Carrée. Le conservateur, Etienne Drioton, fut si attentif à respecter l'esprit de la première présentation

« qu'on pourrait la croire inchangée ». Toutefois un choix d'objets d'art, réunis par Georges Bénédite, devait être exposé au premier étage, dans la salle H, consacrée également à l'époque ptolémaïque.

La cession à la section copte de la salle dite du « Sérapéum », voisine des deux salles coptes de la cour Carrée, permit en 1972 d'offrir au visiteur un ensemble homogène de trois salles disposées en enfilade, selon un ordre chronologique allant de l'époque romaine jusqu'à l'époque copto-arabe. Le conservateur, Pierre du Bourguet, décida de consacrer une grande partie de la troisième salle à la reconstitution partielle, mais néanmoins plus complète, de l'église sud de Baouit. Un mur moderne, érigé en pierre de taille, était une copie de la façade principale de l'église. Sa partie haute se terminait en décrochements, évoquant l'état des ruines au moment de la découverte du monument. Les sculptures d'époque, en pierre et en bois, avaient été insérées dans leur position d'origine, ce qui permettait une évocation plus précise de l'église ; sur les six colonnes, trois avaient pu être reconstruites puis surmontées chacune d'un chapiteau antique.

C'est cette volonté de leurs prédécesseurs, ainsi que l'intime conviction de la nécessité d'une telle présentation, alliant l'esthétique à la compréhension visuelle du monument, qui conduisit les conservateurs, après la décision de réaménager les salles coptes en 1993, à remettre en place un plus grand nombre de reliefs architecturaux sur une structure moderne reproduisant le volume complet du monument. On prit le parti de construire des murs en béton blanc et d'intégrer les reliefs dans des encastrements ménagés à l'avance afin d'éviter l'emploi d'un mortier nocif aux œuvres. C'est dans l'ancien amphithéâtre Courajod, rebaptisé « salle de Baouit », que le visiteur pourra désormais contempler une église paléochrétienne du VIe siècle, environnée d'autres témoins de l'art copte (peintures, stèles, vêtements). Dans la galerie dite « galerie d'art copte », attenante à la « salle de Baouit », est retracée l'évolution de l'art et de la civilisation en Egypte de l'époque romaine à l'époque arabe, à travers des présentations d'ordre soit thématique, soit technique.

Rappel historique

La période historique illustrée dans les salles d'art copte prend naissance dans l'Egypte romaine, se développe pendant l'époque byzantine et se poursuit sous la domination musulmane. Ce découpage a pour points de repère les principales dates données dans la chronologie (p. 9-10). La réalité de la civilisation copte toutefois reste plus subtile et ne saurait entrer dans le cadre strict de cette histoire événementielle. De plus, ce serait ignorer les difficultés de datation des œuvres, aucune méthode disponible à l'heure actuelle ne donnant satisfaction, que ce soit l'investigation scientifique ou la comparaison stylistique. Bien loin de datations absolues, l'art copte doit se contenter d'approximations couvrant parfois plusieurs siècles. Il est néanmoins possible de retracer l'évolution relative de cet art, en considérant son épanouissement en Egypte et aussi ses contacts avec les régions avoisinantes.

Les dominations successives que l'Egypte a subies l'ont progressivement transformée, enrichissant d'apports divers ses traditions immémoriales et son caractère propre, lié à la géographie du pays et à la mentalité de son peuple. L'art copte se définit donc comme une expression originale des Egyptiens, à travers ces périodes. Le mot « copte », lui-même, désigne ce peuple. Les Grecs, en effet, l'appelaient *aigyptios*, d'un mot formé sur une antique dénomination pharaonique, *het-ka-Ptah*, se référant au sanctuaire de Memphis. *Aigyptios* a donné deux mots en français : égyptien et copte. Ce dernier, en raison de la conversion massive de la population à l'islam, a fini par désigner les seuls Egyptiens demeurés chrétiens.

LA CHRISTIANISATION DE L'EGYPTE ROMAINE

Lorsque commence l'ère chrétienne, l'Egypte fait partie de l'Empire romain depuis déjà trente ans. Elle demeurera pendant quatre siècles la plus riche de ses provinces, lui fournissant en particulier le blé, indispensable à la consommation des Romains, et le papyrus, merveilleux

« papier » fabriqué au bord du Nil. Les empereurs attachent donc une grande importance à l'Egypte. Ils entretiennent les temples et endossent le rôle de pharaon. Pourtant rares sont ceux qui se rendent en Egypte à l'instar d'Hadrien, fondateur de la cité d'Antinoopolis (que les Coptes appelleront Antinoé). Peu à peu, les habitants se convertissent au christianisme, religion qu'aurait prêchée Marc, l'évangéliste. Cette autorité ainsi que le voyage de la Sainte Famille en Egypte sont des références essentielles pour les Coptes, même si leur réalité historique ne peut être confirmée.

Le christianisme, à ses débuts, est peu répandu. La religion officielle est celle du culte impérial, incompatible avec l'adoration d'un dieu unique et le refus de sacrifier à l'empereur. C'est pourquoi les chrétiens sont durement persécutés, particulièrement sous Dioclétien. La date de son avènement (284) est considérée comme point de départ de l'ère des Martyrs, l'an 1 du calendrier copte.

Au IVe siècle, la situation se renverse progressivement. La liberté de culte est accordée. Le christianisme, se développant considérablement, devient religion d'Etat et le paganisme est alors proscrit. Bien sûr, ce changement n'est pas radical et certains Egyptiens demeurent païens jusqu'au VIe siècle au moins. Cependant, dès le IIIe siècle se développe le mouvement érémitique avec des anachorètes comme Antoine et Paul, qui deviennent célèbres pour leur ascétisme et leurs miracles. Ils donnent l'exemple à de nombreux moines qui, à leur tour, se retirent au désert. L'organisation de leur vie et leur groupement en communautés sont à l'origine du monachisme. Durant le IVe siècle, l'Egypte se couvre de monastères.

L'EGYPTE BYZANTINE

Lorsque l'Empire se scinde entre l'Orient et l'Occident, en 395, l'Egypte est rattachée à la partie orientale, l'Empire byzantin, et soumise à Constantinople. La religion chrétienne triomphe alors, et les patriarches d'Alexandrie rivalisent d'influence avec ceux d'Antioche, de Constantinople et de Rome. Durant le Ve siècle, plusieurs conciles les réunissent, avec les évêques, sur des questions de dogme. C'est ainsi que, en 451, à Chalcédoine, Dioscore, le patriarche d'Alexandrie, s'oppose à l'opinion des orthodoxes. L'Eglise copte se sépare alors de Constantinople. Les deux confessions sont représentées en Egypte jusqu'à sa conquête par les Arabes. Exils et émeutes sont fréquents, surtout à Alexandrie, siège des patriarcats rivaux.

Après les incursions des Nubiens, encore païens, qui fragilisent la Haute-Egypte, l'invasion des Perses sassanides assombrit la fin de cette période. Ils gouvernent le pays pendant dix ans au début du VIIe siècle. Chassés par l'empereur Héraclius, ils sont bientôt remplacés par les Arabes, qui conquièrent l'Egypte en 641.

LES PROLONGEMENTS DE L'ART COPTE SOUS LA DOMINATION MUSULMANE

L'Egypte fait dorénavant partie du monde islamique. Les Arabes introduisent leur nouvelle religion et incitent les Coptes à s'y convertir. Ceux-ci voient leur nombre diminuer jusqu'à former une minorité, tantôt persécutée, tantôt appréciée par les nouveaux maîtres du pays. Durant la période de formation de l'art islamique, ils sont particulièrement recherchés pour leurs compétences techniques, dans des domaines aussi variés que l'architecture, le tissage, les arts du métal et du verre, la sculpture sur bois et la réalisation de panneaux assemblés où contrastent le bois et l'ivoire. Les Coptes parviennent à sauver leur particularisme en conservant leur Eglise et leurs traditions. L'expression littéraire et artistique se tarit néanmoins à mesure que leur nombre décroît.

Jusqu'aux Fatimides (X^e-XIIe siècle), il est légitime de parler d'un art copte à part entière, avec des réalisations originales, en particulier dans le textile, l'architecture religieuse ou son décor peint. Par la suite, la production se confine dans l'art sacré et devient une répétition de modèles anciens, influencée avec plus ou moins de bonheur par l'art byzantin ou même occidental. Le Louvre ne possède que peu d'œuvres de ces époques récentes, et il faudrait visiter le Musée copte du Caire pour se faire une idée des icônes produites en grand nombre du XVIIIe siècle à nos jours.

Galerie d'art copte

LES DÉBUTS DE L'ART COPTE
IVᵉ-Vᵉ SIÈCLE

Il n'y a aucune rupture entre l'art romain d'Egypte et l'art copte. Le IVᵉ siècle est une période charnière où se côtoient des œuvres franchement romaines, par leur iconographie et par leur style, et des œuvres qui s'éloignent peu à peu des conventions de l'art antique, marqué par le modelé et l'observation des proportions. C'est aussi l'épanouissement d'un art paléochrétien, émergeant d'un contexte plus général, caractéristique de l'Antiquité tardive, d'où les traits spécifiques de l'art copte vont se dégager.

Si les Egyptiens ont négligé l'art romain de la mosaïque, ils ont reporté leur amour de la couleur sur d'autres techniques décoratives. L'architecture de cette époque est peu connue, dans la mesure où les Coptes n'ont pas construit de monuments importants et où beaucoup d'édifices ont été transformés et embellis par la suite. Des premières églises, il ne reste que le souvenir d'une haute antiquité qui ennoblit les aménagements plus récents. Les tombes, surmontées de chapelles funéraires, de tradition égyptienne, étaient ornées de niches sculptées et peintes, ou de peintures murales. Celles de Bagaouat, dans l'oasis de Khargeh, ont des coupoles construites en brique crue et ornées des premières peintures chrétiennes, d'inspiration biblique. Une catacombe alexandrine conservait encore, à la fin du siècle dernier, une des plus anciennes représentations du Christ.

Cette iconographie nouvelle ne rivalise pas encore avec les thèmes païens, toujours bien implantés en Egypte. Plutôt que des réminiscences pharaoniques, ce sont les images romanisées, depuis longtemps intégrées, qui inspirent les artistes. Ils épuisent le répertoire des personnifications de saisons ou de victoires, des divinités fluviales ou marines, qu'ils adaptent au milieu nilotique, des dieux suivis de leur cortège, tels Dionysos et ses bacchantes ou Aphrodite et ses petits amours. Ont-ils la même signification pour les chrétiens et pour ceux qui ne sont pas encore convertis ? L'Egypte de cette époque baigne dans une ambiance antiquisante, traduite dans les expressions artistiques les plus diverses. Elle se distingue très peu des autres régions qui bordent la Méditerranée.

Les modes vestimentaires, par exemple, sont les mêmes dans toutes les provinces romaines. Le port de tuniques, décorées de tapisseries, sur lesquelles sont drapés de grands voiles, se constate sur les représentations de personnages en Sicile, en Afrique du Nord, en Syrie ou en Jordanie. L'Egypte, grâce à un climat exceptionnel, a conservé non seulement les images de ces costumes, mais les vêtements eux-mêmes. Le lin, d'excellente qualité, était employé depuis l'époque pharaonique. Mais la nouvelle mode introduit sur les habits blancs des ornements tissés en laines de couleurs vives. Les tisserands sont passés maîtres dans la technique de la tapisserie. Experts dans la reproduction de motifs géométriques et végétaux, d'un bel effet décoratif, ils réussissent en outre à créer des personnages et des scènes très animées.

La sculpture abandonne la statuaire pour l'art du relief. Celui-ci peut être plus ou moins haut, selon qu'il s'agit de personnages dans des niches, très modelés et saillants, ou de décors architecturaux, beaucoup plus plats. Là encore, le goût de la couleur se manifeste par des rehauts peints, qui ont pour la plupart disparu aujourd'hui. Les figurines en bronze font partie du décor d'objets utilitaires, comme des lampes, des candélabres ou des coffrets. L'art du métal adopte, lui aussi, des formes à la mode dans tout l'Empire, mais il les traite dans un style local.

Voile d'Antinoé
détail
lin imprimé
IIIe-IVe siècle

Le visiteur se dirigera vers le fond de la galerie.

[Pour leur conservation, les tissus et les manuscrits ne doivent pas être exposés en permanence. Leur rotation dans les vitrines entraîne parfois des écarts avec les descriptions.]

• Le grand tissu en lin imprimé, dit *voile d'Antinoé*, constitué de deux registres, séparés par un rinceau de vigne habité par des oiseaux, évoque tout à fait les compositions des sarcophages romains. Dans la partie basse, Dionysos et son épouse, Ariane, président à la danse orgiaque du cortège divin ; dans la partie haute est retracée l'histoire du jeune Dionysos, depuis sa naissance miraculeuse jusqu'à sa fuite devant la fureur d'Héra. Les attitudes lascives et les formes opulentes des danseurs, les drapés flottants, l'aisance des gestes concourent à replacer cette œuvre dans l'art païen de la basse Antiquité.

• Les premières tapisseries

Elles forment une harmonie de nuances allant du violet au bleu marine en passant par les tons pourpre et lie-de-vin. Des motifs blancs, exécutés en lin au moyen de navettes « volantes », dessinent des rinceaux et des réseaux géométriques sur les fonds en laine de couleur. Au centre de la vitrine, un *fragment de linceul peint*, du IVᵉ siècle, provenant de la nécropole d'Antinoé, montre comment ces tapisseries ornaient les vêtements. La défunte porte une tunique retenue par une ceinture, sous un châle drapé. La couleur pourpre, unie, est rehaussée de bandes aux motifs entrelacés, bordées de flots (ou postes). Les textiles, retrouvés en grand nombre dans les tombes, ont été malencontreusement découpés par les archéologues ou les collectionneurs, intéressés seulement par les motifs. Ces derniers, exécutés en tapisserie de laine, se détachent sur le fond du vêtement, tissé en simple toile de lin. Les Romains ont adopté cette mode, qui s'oppose à leur antique toge aussi bien qu'au pagne et à la chemise pharaoniques, entièrement en lin blanc. Les bandes de couleur descendent des épaules, parfois jusqu'en bas du vêtement, devant et derrière. Elles soulignent aussi le bas des tuniques. L'extrémité des manches est bordée d'une double bande. Les petits médaillons ou les carrés sont placés au niveau des épaules et des genoux. Les plus grands, ainsi que les motifs ovales prolongés par de fins rinceaux, sont réservés aux châles.

• Entre les fenêtres, la vitrine présente, à travers deux tapisseries, des exemples de la technique du dégradé des couleurs, permettant d'obtenir l'effet illusionniste du modelé par l'interpénétration de fils de différentes couleurs. Cette technique, qui donne la possibilité au tisserand de se rapprocher de la peinture et de la mosaïque, disparaîtra dans le courant du VIIe siècle et laissera définitivement la place aux aplats de couleurs traités à la navette « volante ». L'une des tapisseries illustre le thème de la mer où évoluent des poissons, nageant indifféremment dans des directions opposées. Elle provient d'Antinoé. Un fragment beaucoup plus grand en est conservé au musée des Tissus de Lyon. La qualité du travail est remarquable. Les multiples nuances traduisent le modelé des formes et la transparence de l'eau. Ces mers poissonneuses inspiraient également les peintres et les mosaïstes. Il est d'ailleurs manifeste que tous utilisaient des modèles qu'ils adaptaient à leur propre domaine.

Tapisserie aux poissons
laine
Antinoé
IIe-IIIe siècle

• *Horus cavalier*, sculpté dans du grès, porte déjà des traits stylistiques qui annoncent les œuvres postérieures, comme la raideur et la schématisation des lignes. L'image du cavalier, inconnue dans l'Egypte pharaonique, apparaît à l'époque grecque sur des stèles

Horus cavalier

grès
IVᵉ siècle

d'inspiration orientale. A l'époque romaine, elle devient l'iconographie traditionnelle de l'empereur triomphant écrasant un barbare, ennemi de la civilisation. De même, Horus écrase Seth – le meurtrier de son père, Osiris –, représenté sous l'aspect d'un crocodile. Horus, le dieu égyptien à tête de faucon, est vêtu du manteau militaire et de la cuirasse romaine ; fondateur mythique de la royauté, il est assimilé au pharaon puis à l'empereur. Ce fragment appartenait sans doute à un ensemble architectural, sculpté dans ce relief aplati à claire-voie, qui fait penser à une barrière ou à une grille de fenêtre.

• L'écriture

A partir de la domination grecque, la langue véhiculaire dans tout l'Orient est bien sûr le grec, dont l'usage se poursuivra durant la période byzantine. L'Egypte a livré une masse documentaire grecque de première importance, illustrée ici par un magnifique *manuscrit sur papyrus* rédigé en belles onciales* reproduisant un texte de saint Cyrille d'Alexandrie.

Dès la fin du IIIᵉ siècle, le changement de religion entraîna l'abandon de l'écriture pharaonique, entachée de paganisme, et la création d'une écriture plus apte à exprimer les nouvelles mentalités farouchement opposées aux anciennes croyances.

L'alphabet copte est formé des vingt-quatre lettres de l'alphabet grec et de sept lettres empruntées à l'égyptien démotique permettant de noter des sons inconnus du grec. Le copte constitue en fait l'étape ultime de l'antique langue pharaonique, dont Champollion tira parti pour le déchiffrement des hiéroglyphes. L'arabe, proclamé langue officielle au VIIIᵉ siècle, cantonne peu à peu l'usage du copte à la liturgie, place qu'il occupe encore de nos jours. La *lettre sur papyrus écrite en arabe* (IXᵉ siècle) concerne des comptes entre deux marchands d'étoffes. A la fin du XIIᵉ siècle disparaît toute création littéraire en grec ou en copte.

La littérature copte est abondante et variée. Elle est constituée de traductions du grec en copte de la Bible et des textes apocryphes, de récits des martyrs ou de vies des saints, du droit religieux, de la littérature historique (*Histoire des patriarches d'Alexandrie*), de la liturgie, de grammaires et de glossaires, d'ouvrages de médecine et de sciences, de légendes et d'ouvrages folkloriques (*Roman d'Alexandre* et *Roman de Cambyse*). Ces versions coptes sont souvent les seuls témoins qui nous soient parvenus des œuvres de l'Antiquité, ce qui les rend d'autant plus précieuses. Mais il existe aussi une production copte originale dans ces mêmes domaines, dont de nombreuses œuvres sont également transmises par l'arabe. Les *Sermons de Chenouté* appartiennent au genre didactique, inauguré par saint Antoine et saint Pacôme : le supérieur du monastère Blanc près de Sohag, qui vécut au Vᵉ siècle, y donne des instructions à des moines, à des moniales et à des laïcs en condamnant vigoureusement le mal, le démon et les écarts de conduite.

Lettres, contrats, comptes, notes administratives constituent une mine de renseignements sur la vie quotidienne. Les *ostraka** (tessons en céramique ou fragments de pierre), retrouvés par milliers sur les sites, étaient des moyens pratiques et peu coûteux pour établir des quittances d'impôts, des reconnaissances de dette, des ordres de paiement, des reçus, des commandes de denrées... Plus élaborées, les *tablettes en bois*, inscrites à l'encre, étaient destinées aux mêmes usages. Sept tablettes avaient été perforées pour y passer un lien afin de les maintenir ensemble ; les différences d'écriture et d'aspect de ces tablettes indiquent qu'elles avaient peut-être été ainsi « archivées » par leur propriétaire.

Les *sceaux en bois* portent des marques de propriété. Les sceaux-médaillons servaient à cacheter les jarres de vin (les *bouchons de terre* crue en conservent souvent l'empreinte), ou bien à marquer les pains,

Sermons de Chenouté
détail
manuscrit sur parchemin
VIIIᵉ-IXᵉ siècle

coutume encore vivante parmi les Coptes aujourd'hui. Les petits sceaux rectangulaires ont pu être utilisés comme marques de construction sur des tuiles, des briques, des stucs. Quant aux grands sceaux rectangulaires à lourde poignée, ils ont pu sceller des portes de grenier (?). Ils sont gravés indistinctement de monogrammes, de croix, du nom du Christ, d'invocations, du nom du propriétaire, parfois d'animaux (quadrupèdes, oiseaux).

Une *stèle*, dont le texte est gravé en copte, nous apprend que le diacre (?) Jacques et son frère Mine étaient originaires du nome d'Hermopolis Magna.

Une belle inscription, mentionnant des martyrs, constitue le corps d'une *lampe en bronze* entièrement ajouré ; une coupe en métal ou en verre devait épouser l'espace intérieur pour recevoir l'huile.

A la fois bureaucrate et fin lettré, le scribe est celui qui sait lire et écrire, auquel on fait appel pour tous les actes de la vie administrative et quotidienne ainsi que pour la rédaction des somptueux manuscrits parfois rehaussés de lettrines ou de miniatures. Sa marque distinctive est l'*étui à calames en cuir* parfois muni d'un encrier en bronze ; des alvéoles permettent d'y placer les calames et les styles. Jusqu'à l'époque grecque, le scribe utilisait des tiges de jonc, mâchées à l'une des extrémités pour en faire des « pinceaux » ; cette méthode est remplacée par l'usage de *roseaux taillés en pointe* à la manière d'une plume d'oie. Afin d'écrire bien horizontalement, on traçait la réglure (lignes horizontales et lignes verticales limitant les marges) au moyen de pointes sèches ou de *styles en bois* : longues « aiguilles » pleines, effilées à l'une des extrémité. L'iconographie montre que, depuis l'Ancien Empire, le scribe se déplaçait en portant l'étui à calames attaché sur l'épaule par des liens en cuir.

Les manuscrits se présentent sous deux formes : le rouleau (*volumen*) ou le livre relié appelé « codex ». Les rouleaux sont peu nombreux ; certains ont été retrouvés cependant, avec leur lien d'attache, ce qui est rare (un de ces liens est exposé dans la vitrine de la magie). Les premiers livres coptes, écrits sur papyrus, remontent à la fin du IIIe siècle, époque à laquelle le codex tend à remplacer le rouleau (le *codex de Cyrille d'Alexandrie*, du VIe ou du VIIe siècle, possède soixante-douze pages, dont deux sont ici exposées) ; par la suite, l'usage du papyrus se raréfie, mais on en trouve jusqu'au VIIIe siècle. Dès le

IVe siècle s'est répandue la fabrication du parchemin, qui est lui-même concurrencé par le papier à partir du Xe siècle (*texte copte sur papier*, XIVe siècle).

Le passage du rouleau au codex conduisit à protéger les feuillets cousus par des reliures en bois ou en cuir. Les *reliures en bois*, les plus anciennes (IIIe-IVe siècle), tirent leur forme des antiques tablettes à écrire : les deux plaquettes étaient maintenues ensemble grâce à une charnière de cuir cloutée.

• La céramique

Il n'y a pas de discontinuité stylistique entre la production de céramiques de la période romaine et celle de la période copte, dans la mesure où les deux artisanats sont étroitement liés aux importations des autres régions de la Méditerranée. De même, la conquête arabe ne semble pas avoir apporté de changement fondamental dans la fabrication locale, puisque la céramique dite « copte » se perpétue jusqu'au Xe siècle. Seule la céramique à glaçure disparaît durant la période romaine, pour ne reparaître qu'au VIIe siècle.

La variété des formes est due à l'adaptation à chaque fonction : la préparation, la présentation ou la consommation des aliments ont donné naissance aux pots à cuire, aux bols, aux plats en forme d'assiettes ou pourvus de cupules, aux coupes ; l'eau était transportée dans des grandes cruches puis servie avec des pichets (ici, en forme de coq) ou des bouteilles ; les aliments étaient stockés dans de longues amphores.

La vaisselle de tous les jours, et surtout celle qui servait à cuisiner, n'a pas reçu de décor ; en revanche, des pièces plus élaborées peuvent présenter des motifs imprimés, en relief ou en peinture. La technique de l'impression et du relief est héritée de la céramique romaine appelée « sigillée » ; de nombreux plats et coupes sont ainsi ornés de croix, d'animaux, de palmettes obtenus à l'aide de poinçons. C'est surtout par l'emploi de la peinture que se distingue la production copte réellement originale. Elle est bien sûr utilisée pour la vaisselle de luxe, mais les potiers n'hésitent pas à y recourir pour masquer la pauvreté de la matière. Les formes rapidement esquissées en noir ou brun sont remplies des mêmes couleurs, auxquelles viennent s'ajouter le rouge orangé et le blanc. La variété des

Plat à cupules
céramique
Tôd
VIe-VIIIe siècle

Grand plat
céramique
VIIe-VIIIe siècle

Lampe suspendue
céramique
IXe-Xe siècle

décors et la liberté de leur traitement proviennent de l'adaptation à la céramique des motifs des tissus (réseaux géométriques, rinceaux, bustes) et de la peinture murale (*lampe aux saints cavaliers*). La schématisation des formes, pourtant toujours reconnaissables, confère aux animaux (oiseaux, lions, capridés) une spontanéité et une vivacité qui sont la marque de toute cette production. On retrouve ces caractéristiques sur les *figurines en terre cuite* représentant des volatiles et un chameau, proches de celles d'époque romaine. Il est possible que ces animaux aient servi de jouets ; néanmoins, le chameau, attribut de saint Ménas, a pu être une image votive offerte par un fidèle ou rapportée par un pèlerin.

Les premières sculptures coptes sont présentées au mur.

La ronde-bosse, si chère à l'Antiquité, est définitivement remplacée par la technique du relief sous toutes ses formes. Ce choix oriente la sculpture copte vers une utilisation essentiellement architecturale. Aucune sculpture n'a été retrouvée en place. Un grand nombre reproduit des figures païennes qui ornent des conques couronnant des niches ; d'après les structures mises au jour, il semble qu'elles aient constitué les décors de chapelles funéraires. C'est dans le courant du IVe siècle qu'apparaissent dans la région du Fayoum, à Oxyrhynchos et à Héracléopolis Magna, les plus anciennes œuvres de style « copte ».
• Les quatre *têtes humaines* ont sans doute été détachées de conques : les visages arrondis, les yeux fortement cernés et parfois perforés, les cheveux traités en mèches décoratives, le modelé simplifié créent des images où apparaît l'essentiel au détriment du réalisme et du naturalisme antiques.

Laissant sur la droite l'accès à la salle de Baouit, la visite se poursuit dans la galerie.

• La figure isolée de *Daphné* provient d'une niche, comme le montrent la projection du corps vers l'avant et la comparaison avec des œuvres d'Héracléopolis (Ahnas el-Médineh), plus complètes, conservées au Musée copte du Caire. La jeune femme nue semble émerger d'une plante. La légende raconte, en effet, que la nymphe se transforma en laurier pour échapper aux

Daphné
calcaire
V^e-VIe siècle

assiduités d'Apollon. Le sujet était apprécié, car plusieurs sculptures le représentent et il figure en bonne place sur le *châle de Sabine*.

• Sur le *relief au lion et au capridé*, le réalisme antique cède la place à la stylisation des formes et des détails traités de manière décorative.

• Le *châle de Sabine* a été recomposé à partir de fragments découverts dans une tombe d'Antinoé. L'archéologue Albert Gayet le décrit comme un long châle, qui avait servi de linceul à la dame Sabine. Cet usage l'a endommagé et ses vestiges sont aujourd'hui répartis entre Lyon (musée des Beaux-Arts et musée des Tissus) et le Louvre. La toile de laine rouge est décorée de tapisseries multicolores. Le fond est parsemé de petites scènes animées par des amours, des centaures et des personnages champêtres. Les angles sont soulignés par des équerres peuplées de petits amours, qui s'ébattent dans un paysage nilotique. Ils se retrouvent dans l'encadrement du médaillon central, lui-même décoré d'une scène unique dans l'art copte : Bellérophon tue la Chimère, en compagnie de son cheval Pégase. Deux carrés placés à l'intérieur des équerres montrent d'autres thèmes mythologiques : à droite, Apollon et Daphné ; à gauche, Artémis chasseresse. Ce dernier tableau illustre bien comment l'art copte, qui reprend les sujets de la mythologie grecque et romaine, s'écarte du style classique. La composition

Châle de Sabine
détail
laine et lin
Antinoé
VIᵉ siècle

utilise le modèle créé par Léocharès, quelque mille ans plus tôt ; mais la scène a perdu de sa profondeur et la déesse a les proportions d'un athlète. L'envol de son vêtement, qui devait figurer le mouvement, est figé.

• La sculpture accrochée [entre la 2ᵉ et la 3ᵉ fenêtre] représente un *personnage dans les pampres*. Il occupait la conque (ou partie supérieure d'une niche en cul-de-four), élément fréquent dans l'architecture copte. Il s'agit peut-être de Dionysos, le dieu de la vigne et du vin, sous un aspect juvénile, ou encore d'un amour vendangeur.

Personnage
dans les pampres
calcaire
Vᵉ siècle

• Sujets mythologiques

[Vitrine dans l'embrasure de la fenêtre]

Dionysos rencontre une faveur particulière. Nous l'avons vu sur le *voile d'Antinoé*, au début du parcours, et évoqué à l'instant, à propos de la conque sculptée. Sur les *tapisseries*, le dieu adopte son attitude favorite. Adossé à une colonnette, il tient le bâton feuillu et se couronne de pampres. Il forme un couple avec Ariane, sa compagne, et s'entoure volontiers du cortège bachique : ménades, danseuses, satyres, et même amours, qui ne sont pas uniquement associés à Aphrodite, mais viennent se mêler à tous les divertissements mythologiques. Le petit fragment rouge est l'unique exemple conservé au Louvre d'une tapisserie copte réalisée avec des fils d'or. Leur emploi est certes parcimonieux, limité à la coiffure des personnages. Ceux-ci sont plus visibles sur les médaillons de la même tunique appartenant au musée Georges-Labit de Toulouse. Ce sont vraisemblablement un satyre musicien et une bacchante. Le décor d'autres tuniques est conservé de manière plus complète. Sur l'encolure, les bas de manches, les bandes et les médaillons de tapisserie se déroule un programme décoratif où les sujets mythologiques occupent une grande place. A côté des thèmes dionysiaques fort répandus, le choix se porte parfois sur des épisodes précis, comme Persée et la Gorgone, Aphrodite et Arès, Héraclès poursuivant une jeune femme, Narcisse et la nymphe Echo, le combat des Amazones ou celui des Lapithes contre les Centaures, ces monstres mi-hommes mi-chevaux. Ce sujet grec est rarement représenté par les Coptes. En revanche, ils utilisent souvent les centaures dans des saynettes qui mettent aussi en scène les amours. Nous les avons rencontrés sur le *châle de Sabine*. Les trois Grâces sont figurées sur une petite tapisserie circulaire,

Tissu aux sujets mythologiques
détail
lin et laine
Antinoé
IIIe siècle

dans la posture du célèbre modèle grec, mais dans le plus pur style copte. Les corps sont mal proportionnés ; les couleurs, sans nuances, aplatissent les formes et toute illusion de la profondeur est abolie.

• La Terre et les Saisons

Ces personnifications ont connu une faveur particulière dans le répertoire décoratif des Coptes. En effet, le souci de bonnes récoltes était primordial dans ce pays qui devait en reverser la plus grande partie à Rome. D'autre part, les sujets champêtres étaient à la mode dans tout le monde romain. De vraies scènes agricoles sont parfois reproduites, comme sur l'*encolure de tunique* ou les *deux médaillons* rouges. *Trois tapisseries* montrent, dans des styles différents, le même personnage tenant une serpette. Mais l'idéalisation vient bien souvent enjoliver les pâtres, telles ces figures dénudées tenant un épi ou jouant de la musique dans un environnement pastoral. Les quatre Saisons sont personnifiées par des femmes portant des costumes et des attributs appropriés. Ce rythme quaternaire ne correspond pas au cycle réel de trois périodes, particulier à l'Egypte en raison de la crue du Nil. Il est cependant adopté dans l'iconographie. Il s'adapte parfaitement à toutes sortes de compositions, par exemple aux quatre angles d'un châle ou d'une tenture. Une *tête couronnée* de feuilles et de fruits, en tissu bouclé, pourrait être l'été. Deux fins *médaillons de tapisserie* sont consacrés à l'hiver et au printemps, dont le nom a été tissé près des allégories. Enfin, la terre nourricière est figurée sous les traits d'une femme tenant devant elle un linge rempli de fruits. C'est Gaia, ou Gê, la Terre-mère, ou encore Euthénia, déesse de l'abondance. Le *relief* la montre dans une couronne, présentée par deux amours, environnée d'épis et de corbeilles débordantes. La sculpture illustre bien un principe de composition cher à l'art copte, où deux êtres animés, se dirigeant symétriquement vers le milieu, présentent la figure ainsi mise en valeur. La couronne est un signe triomphal dans le vocabulaire romain adopté par les Coptes. La *tapisserie* présente la même figure de l'Abondance, dans une couronne encadrée de damiers. De petites croix réparties dans les écoinçons montrent que les chrétiens ne rejetaient pas les représentations allégoriques.

Tissu aux personnages bachiques

lin et laine
Ve siècle

• Le mythe d'Aphrodite et les scènes nilotiques

Née de la mer fécondée par le sang d'Ouranos, Aphrodite, déesse de l'amour, se transforme à partir de l'époque grecque en une Isis-Hathor-Aphrodite, où coexistent traditions pharaoniques (attributs d'Isis, attitude frontale avec les bras le long du corps) et style gréco-romain (modelé, drapés fluides). A partir du Ve siècle, les caractères pharaoniques disparaissent, tandis que le style proprement copte se met en place. Sur le *bandeau de frise à la naissance d'Aphrodite*, la déesse apparaît sortant de l'onde dans une coquille soutenue par deux tritons ; de ses mains elle tord sa chevelure. C'est la même iconographie, légèrement transformée, qui orne un *carré en tapisserie*, dont l'encadrement est occupé par des personnages nilotiques qui accentuent la relation de la déesse avec le monde aquatique. Selon un modèle apparu à l'époque hellénistique, elle peut être représentée accroupie au bain. Le *carré souligné d'une bande abritant une Aphrodite à sa toilette* appartenait à une tunique dont les épaules étaient ornées chacune d'un carré historié. Il est possible que la *figurine en bronze* d'un personnage féminin nu soit également une Aphrodite à sa toilette ; en effet, des sculptures antiques célèbres la représentèrent debout se contemplant dans un miroir, thème qui sera repris sur divers objets d'art d'époques romaine et byzantine. Bien qu'il soit impossible d'affirmer qu'une telle image ait pu être christianisée, l'assimilation du Christ à la perle, symbole de pureté, provient probablement du mythe de la naissance d'Aphrodite largement répandu, comme l'attestent ces représentations. Parmi les épisodes attachés à la légende de la déesse, le plus célèbre est sans conteste celui du jugement de Pâris, qui apparaît sur quelques tissus coptes. Brandissant une couronne et

Médaillons aux Saisons : l'hiver et le printemps
lin et laine
Antinoé
Ve siècle

Naissance d'Aphrodite
calcaire
VIe siècle

Médaillon au nilomètre
lin et laine
VIe siècle

tenant la pomme, la *statuette en bronze de Pâris* a pu faire partie d'un ensemble le réunissant aux trois déesses venues chacune lui offrir un présent.

Depuis toujours, la vie en Egypte a été liée aux effets de la crue annuelle du Nil, qui permettait d'irriguer les terres cultivées. C'est pourquoi le culte de la crue a perduré depuis les temps protohistoriques jusqu'à l'époque arabe. Tirés du répertoire pharaonique, les sujets dits « nilotiques », mis à la mode à Alexandrie à l'époque grecque, connaissent une vogue extraordinaire dans tout le monde romain. Les scènes de chasse et de pêche sculptées et peintes sur les parois des tombes dès l'Ancien Empire trouvent une nouvelle dimension en s'adaptant au style gréco-romain et en intégrant des figures désormais inséparables de cette iconographie : néréides chevauchant des animaux marins ; *putti* nageant dans des eaux poissonneuses, tenant des oiseaux aquatiques, pêchant dans une barque ; crocodiles ; lotus rose, apparu à l'époque grecque. Toutes les techniques ont reproduit ces « clichés », mais les tapisseries ont l'avantage d'évoquer la luxuriance des eaux et des marais grâce à la somptuosité des couleurs. Les deux *médaillons au nilomètre* ont la particularité d'illustrer le moment précis où un *putto* est affairé à graver sur le nilomètre la hauteur de la crue du Nil. Deux divinités, semblables aux nombreuses divinités fluviales et marines d'origine romaine, surmontent la scène. Il s'agit de la personnification du Nil, tenant une corne d'abondance et un épi, accompagné de la déesse Gê, assimilée à Isis, garante de la prospérité, symbolisée par le voile rempli de fleurs et de fruits qu'elle tient devant elle.

• Les amours (*putti*) jouent un rôle important lors des fêtes bachiques. Durant la période privilégiée des vendanges, ils scandent les danses au son du pipeau et de la flûte de Pan, ou participent à la cueillette, armés de paniers ou de faucilles. Sur un fond de tapisserie couleur lie-de-vin, évocatrice du raisin transformé en vin, s'agite une multitude d'*amours vendangeurs* abrités dans les enroulements des sarments de vigne. L'aspect antiquisant de l'iconographie et du style n'est pas un facteur d'attribution au milieu païen ; ce thème, largement répandu dans l'imagerie païenne pour symboliser la moisson des vies humaines parvenues à leur terme, sera christianisé dès le début du IIe siècle apr. J.-C., d'autant plus qu'il permet d'illustrer la parabole du Christ : « C'est moi qui suis la vraie vigne, et mon père est le vigneron » (Jean, XV, 1).

Amours vendangeurs
détail
laine et lin
VIe siècle

• La vitrine centrale face aux sujets mythologiques contient des *bronzes trouvés en Nubie*, dans la nécropole païenne de Ballana-Qustul. Ce sont des objets coptes que les potentats locaux ont acquis sous forme de cadeaux diplomatiques ou en les dérobant lors de leurs incursions en Haute-Egypte. Le *pichet* surmonté d'un petit personnage remonte au Ier siècle. C'est le plus ancien de l'ensemble, daté pour le reste du Ve siècle. Les *flacons de toilette* sont tout à fait caractéristiques de l'art copte. L'*encensoir* peut reposer sur son pied ou bien être balancé au bout d'une chaîne. Les fumigations s'échappaient par les orifices dissimulés derrière les feuilles ouvertes. Le *coffret* est décoré de têtes d'animaux, munies d'anneaux et de pendeloques, et de personnages. Un flûtiste est assis au sommet du couvercle et ses trois compagnons sont plaqués sur les faces de la boîte. Ceux qui ornent les petits côtés brandissent une couronne et une palme stylisée, ou une croix ansée, avatars de l'iconographie triomphale romaine, réalisés dans un style bien fruste.

La *coupe bordée de perles* est un autre exemple de ces trouvailles en Nubie. Elle provient du cimetière de Qasr Ibrîm, l'antique Primis, aujourd'hui recouvert par le lac Nasser. La montée des eaux, consécutive à la construction du haut barrage d'Assouan, a réduit à l'état d'îlot la haute falaise qui dominait le Nil et que couronnait une forteresse. L'objet fut offert au Louvre en 1963 par l'Egypt Exploration Society, société anglaise chargée des fouilles sur ce site.

Encensoir copte trouvé en Nubie
bronze
Ballana-Qustul
Ve siècle

L'ÉPANOUISSEMENT DE L'ART COPTE
Vᵉ-VIIIᵉ SIÈCLE

La domination byzantine n'affecte qu'en partie l'art égyptien. L'architecture des églises et des monastères prospère. Si, dans ses grandes lignes, elle adopte les modèles byzantins (plans, types de chapiteaux, revêtements colorés), elle reste néanmoins plus modeste dans les proportions de ses monuments, dans le choix des matériaux et dans la réalisation des décors. Les pierres, calcaire, grès et granit, sont tirées des monuments antiques et complètent des constructions de brique crue, simplement séchée au soleil, comme le veut la tradition égyptienne. C'est la manière la plus répandue de construire les monastères, comme les maisons et même les tombes. Point de mosaïques aux sols, ni sur les murs. Point d'or sur les icônes. Et pourtant, la couleur flambe partout. Les sculptures, qui abondent dans l'architecture, sont peintes. Les murs, enduits de chaux, sont prétextes à l'ornementation, de la simple frise aux couleurs vives, jusqu'aux scènes bibliques les plus complexes. Les couvents de Saqqara, de Baouit ou d'Assouan, bien que ruinés, révèlent un répertoire iconographique très riche. Quelques panneaux de bois peints attestent la continuité de cet art, issu des portraits romains d'Egypte, qui a fourni les premières icônes. La peinture envahit aussi les céramiques, dans des camaïeux ocre et lie-de-vin très séduisants. La splendeur des couleurs éclate surtout dans les textiles. L'aspect monochrome des premières tapisseries a laissé la place à un goût plus byzantin pour les vives harmonies.

Le style, lui, est vraiment copte, plus truculent que l'art officiel de la capitale. La sculpture schématise les formes et s'intéresse aux surfaces, qu'elle creuse comme des dentelles, accentuant les effets d'ombre et de lumière, qui détachent les sujets sur les arrière-plans sombres. La peinture est très soignée et, si elle crée des types humains stéréotypés, des théories de moines ou de saints par exemple, elle sait parfois innover dans des compositions narratives. Un même sujet prête à diverses interprétations. La variété des croix peintes témoigne à cet égard d'une grande capacité d'invention. Dans l'art du textile, la stylisation s'accentue, les formes se schématisent au point de devenir parfois méconnaissables. Les figures humaines, tout comme les animaux, perdent leur réalisme, leur modelé, leur couleur naturelle et même parfois leur intégrité.

Les thèmes chrétiens sont plus répandus qu'à la période précédente. Ce sont eux qui décorent les églises et les monastères, dont les vestiges, pour cette période, sont plus nombreux. Les sujets bibliques, de l'Ancien et du Nouveau Testament, se partagent le répertoire avec les symboles que sont la croix, le dauphin, les lettres alpha et oméga, qui représentent le Sauveur, ou bien les animaux s'abreuvant, images des fidèles, ou encore les couronnes qui sanctifient un personnage. Ces dernières ont été adaptées du vocabulaire antique. Dans l'art profane, l'iconographie romaine est encore très appréciée. Tige de lierre ou pampre de vigne, guirlande de laurier ou d'acanthe, le rinceau, réaliste ou stylisé, envahit tous les décors et toutes les techniques. Il est bien souvent habité par des animaux ou des personnages. Quelques thèmes mythologiques sont encore utilisés. Le milieu nilotique garde la faveur des décorateurs. Les animaux, symboliques, nous l'avons vu, ou bien réels, inspirent beaucoup les artistes.

• La magie

[Vitrine entre les fenêtres, regroupant des objets des trois périodes, du IIIe au XIIIe siècle]

A l'époque pharaonique, la magie intervient dans la religion officielle et funéraire, et participe aussi à la médecine et à la vie quotidienne. Elle ne disparaît pas avec la christianisation, mais manifeste, au contraire, une remarquable permanence. Les principes invoqués s'adaptent simplement à la nouvelle croyance et, si la Vierge ou les saints sont sollicités à la place des dieux ou des génies, les moyens mis en œuvre demeurent identiques. La magie noire est illustrée par une *statuette percée d'aiguilles*, d'époque romaine. Elle est accompagnée d'une formule d'adjuration, gravée en grec sur une *feuille de plomb*. Ces deux objets étaient contenus dans le *vase* exposé avec eux. L'ensemble devait être déposé dans la tombe d'une personne décédée prématurément ou de mort violente, comme cela était requis pour que l'envoûtement puisse opérer

Papyrus magique
2nde moitié du VIIe siècle

Etui à calames
cuir
Antinoé
VIᵉ-VIIᵉ siècle

convenablement. Sarapamon, qui vivait au IIIᵉ ou au IVᵉ siècle, s'adresse à des dieux égyptiens, babyloniens, grecs et romains, pour capter l'amour de Ptolémaïs. Le modelage de la figurine, substitut de l'être désiré, dans une attitude soumise, son percement par les aiguilles et le charme écrit doivent provoquer la possession de la jeune femme. Les cercles pointés disposés sur le corps de la *figurine en bois*, de style copte, sont peut-être les marques d'une semblable sorcellerie.

Le *papyrus* fut rédigé par un magicien copte vers le VIIᵉ siècle. Des invocations au Christ, à la Vierge et aux archanges y sont curieusement associées à des formules d'exécration et de vengeance. Les deux faces du *parchemin découpé en pointe* sont couvertes de dessins et d'incantations en copte, qui visent à provoquer la discorde entre Sipa et Ouareteihla. L'écriture le date des environs du Xᵉ siècle. Découvert à Edfou lors des fouilles de l'Institut français d'archéologie orientale, il avait été plié et roulé, tout comme la lamelle de plomb et la plupart des grimoires de sorcellerie.

La magie peut aussi prétendre à de meilleurs desseins. Le *rectangle de papier* porte une invocation en copte, suppliant Jésus de protéger une petite fille. Replié et ficelé, il devait être placé sur le corps de l'enfant. Une image prophylactique est une excellente protection contre le mauvais œil. Aussi le scribe Pamis a-t-il fait graver son *étui à calames* d'un saint Philothée terrassant un démon. L'*amulette* en hématite représente un autre saint, armé et cavalier, qui frappe un démon féminin. Il s'agit peut-être de Sisinnios tuant Alabasdria, ou bien d'un des sept sceaux de Salomon, car il porte l'inscription en grec « sceau de Dieu ». Ces deux personnages sont très souvent invoqués en Egypte et demeurent, encore aujourd'hui, dans les croyances populaires.

Sisinnios, ou un autre saint cavalier, est très sommairement gravé sur les médaillons de *bracelets protecteurs*, qui portent aussi, en abrégé, le début du psaume 90 de la Bible. La *plaquette en bronze* est un autre talisman, couvert de dessins ésotériques, de nombres et d'inscriptions en copte et en arabe, « abracadabra » incompréhensibles. Des bols magiques en bronze, utilisés par les musulmans aux XIIᵉ et XIIIᵉ siècles, portent de semblables gravures.

• L'Egypte chrétienne

La plus ancienne image chrétienne recueillie en Egypte a été retrouvée dans une catacombe d'Alexandrie datée du IIIe siècle. On y voyait le Christ trônant entre saint Pierre et saint André, qui lui présentaient des pains et des poissons ; de part et d'autre apparaissaient une scène de banquet et les noces de Cana. D'abord minoritaires, les images chrétiennes se répandent le long de la vallée du Nil ; les antiques divinités, dépossédées de leur sens, sont alors cantonnées au répertoire purement décoratif. La figure du Christ assis ou debout entre des apôtres ou des anges a été fixée très tôt du fait que ce schéma reproduit l'iconographie traditionnelle de l'empereur entre des soldats ou des dignitaires. Les *trois fragments peints sur toile de lin* illustrent probablement deux iconographies distinctes : le Christ placé entre deux anges (les deux fragments de droite ne conserveraient que le Christ près d'un chandelier et l'un des anges) ; deux anges tenant un médaillon (le fragment de gauche représente l'un des anges). La peinture sur toile de lin est une tradition séculaire en Egypte (bandelettes de momies, linceuls). L'œuvre la plus comparable à cet ensemble est conservée à la fondation Abegg (Riggisberg, Suisse) : sur trois registres sont disposées des scènes de l'Ancien Testament, depuis la création d'Adam et Eve jusqu'à la sortie d'Egypte des Hébreux. Les draperies alourdies, les plis épais, les visages arrondis, les chevelures courtes aux petites boucles serrées sont tout à fait caractéristiques des Ve et VIe siècles.

Les *deux boiseries sculptées*, dont l'une garde des vestiges de couleurs, reprennent aussi le thème du médaillon renfermant un buste tenu par des anges. L'un d'eux, placé entre des colonnes, soutient des rideaux, évoquant ainsi un sanctuaire, c'est-à-dire l'espace sacré dans lequel se situe la scène.

Malgré l'opposition des Pères de l'Eglise, les chrétiens continuèrent à suivre la mode des vêtements ornés, apparue en Orient durant l'époque romaine. C'est ainsi qu'un *fragment de manche* porte l'image d'un buste du Christ auréolé d'un nimbe crucifère, placé entre l'alpha et l'oméga ; dans ses mains, il tient le livre des Evangiles. Sur un étroit *galon en toile de lin* a été brodée en soie la scène de la Nativité : la Vierge est allongée sur sa couche en forme de matelas ovale. L'évocation choisit l'instant où, selon les Evangiles

Peinture sur toile de lin
Antinoé
VIᵉ siècle

Galon à la Nativité
broderie de soie sur toile de lin
Vᵉ-VIᵉ siècle

apocryphes, la sage-femme Salomé, incrédule quant à la virginité de Marie, vit sa main se dessécher ; celle-ci est démesurément agrandie afin de mettre le miracle en valeur. Aux pieds de la Vierge est assis Joseph, la joue sur la main. Au-dessus du groupe, l'Enfant repose dans la crèche, surmontée du bœuf, de l'âne et de deux anges.

Plusieurs épisodes de la vie du Christ et de la Vierge sont mis en scène sur les panses d'*encensoirs en bronze*, objets dont on a retrouvé des exemplaires dans tout le monde byzantin et dont la production semble s'être étendue sur plusieurs siècles. Malgré la forte schématisation des formes, on reconnaît l'Annonciation, la Nativité, le Baptême, la Crucifixion, les Saintes Femmes au tombeau. Sur un fragment de *pyxide en ivoire*, c'est-à-dire une petite boîte à usage profane ou religieux, subsiste la représentation de Lazare emmailloté comme une momie dans son tombeau ; à droite se dressait le Christ sur le point de le ressusciter. Ce miracle, utilisé depuis le début de l'époque paléochrétienne, est l'un des sujets les plus fréquents parce qu'il évoque la résurrection du Christ. A gauche apparaît un apôtre tenant un livre, qui participait vraisemblablement à un autre miracle opéré par le Christ.

Des objets d'usage tout à fait profane peuvent porter également des images religieuses. Ainsi l'*étui à calames en cuir* est entièrement couvert de motifs décoratifs et de scènes incisées inspirés de cette iconographie. Une inscription illisible borde la partie supérieure de l'étui. La moitié de sa hauteur est occupée par une Vierge assise sur un trône et encadrée par les archanges Michel et Gabriel tenant chacun un globe et une lance. Plus bas est placé le buste d'un saint personnage en orant entre deux palmes ; d'après l'inscription, il pourrait s'agir de saint Thomas. Enfin, la zone inférieure est occupée par trois médaillons renfermant des inscriptions difficiles à lire. Une superbe *boîte à poids* est constituée d'un boîtier creusé d'alvéoles carrées, rectangulaires ou circulaires munies de petits couvercles, souvent perdus ; ce type de boîte était destiné à loger les poids en bronze, les monnaies ou des pincettes servant à saisir les matières précieuses ; un logement est spécialement pratiqué pour conserver une petite balance. Une plaquette amovible vient recouvrir ce boîtier, constituant un niveau supérieur également destiné à recevoir des poids et une balance. Aux deux extrémités, des placages de cuivre sont fixés par des clous. D'un côté, la serrure est formée de deux pênes, dont les tiges extérieures sont ornées de croix en relief et en ajour ; de l'autre, une plaque en cuivre découpé offre deux *putti* ailés soutenant une couronne occupée par un aigle aux ailes déployées. L'aigle psychophore (porteur d'âmes) d'origine païenne apparaît souvent sur les monuments funéraires à l'époque chrétienne ; à Baouit, une inscription l'identifie précisément au Christ. La bande fixée le long de la bordure porte une inscription invoquant les noms de Michel et de Gabriel. La fermeture s'effectue au moyen d'un couvercle coulissant orné en relief d'un motif de chapelle abritant une croix ; dans la partie haute, on remarque deux mots gravés, traduisibles par « A la grâce de Dieu », qui indiquent que le propriétaire s'était

Boîte à poids
bois et cuivre
Antinoé
VIe-VIIe siècle

*Encensoir aux scènes
de la vie du Christ*

Bronze
VIᵉ-XIIᵉsiècle

Croix de bénédiction

bronze
Vᵉ-VIIIᵉ siècle

de la sorte placé sous la protection de Dieu et des archanges. Ces instruments de mesure de haute précision étaient indispensables à l'orfèvre et à l'inspecteur des monnaies. A l'époque pharaonique, le superintendant des poids et mesures était un prêtre. Ce privilège passa des temples aux églises lorsque l'Egypte devint chrétienne : l'évêque avait un droit de contrôle sur l'administration de la cité, sur ses finances, ses travaux publics, ses poids et mesures.

On peut penser que le *panier en palmier tressé*, recouvert de cuir découpé et doré, eut un usage liturgique. Deux poissons affrontés, un agneau (?), symbole de la victime expiatoire des péchés du monde, et la croix forment autant de thèmes liés à la liturgie, et particulièrement à l'eucharistie ; dans la partie haute court une inscription invoquant les noms de Dieu et du Christ. Peut-être alors était-il destiné à recevoir des objets liturgiques ou des pains bénits. C'est également au mobilier d'une église qu'il faut probablement attribuer l'*encensoir en bronze* dont la panse porte en haut relief quatre têtes représentant les quatre figures de l'Apocalypse rapidement assimilées aux quatre évangélistes – l'homme (saint Matthieu), le lion (saint Marc), le bœuf (saint Luc) et l'aigle (saint Jean). Chacune des figures est pourvue d'une paire d'ailes dessinée en incision rappelant les ailes des figures apocalyptiques. La *croix en bronze* est à la fois l'insigne de la dignité de prêtre et l'instrument lui servant à bénir. Les quatre exemplaires présentés ici sont en forme de croix grecque avec des extrémités en fleur de lys ou découpées de dentelures. La croix à branches pattées terminées par des disques est ornée en gravure d'une figure d'orante désignée comme la Mère de Dieu ; les trois branches supérieures sont gravées chacune d'une croix semblable à l'objet. Deux éléments torsadés relient le bras supérieur aux bras latéraux. Si la Crucifixion ne fut représentée que très tard par les Coptes (XIIᵉ siècle), la croix est un signe tout à fait privilégié et l'imagination foisonnante des artistes la pare de toutes sortes d'ornementations géométriques, végétales ou figuratives. Elle apparaît maintes fois sur les parois peintes des monastères, où la couleur accentue la somptuosité et la variété des types. On peut en avoir un aperçu avec les *tissus coptes* sur lesquels ont été tissés des croix grecques, des chrismes ou la croix ansée, particulièrement prisée en Egypte. Cette dernière est une réminiscence du signe hiéroglyphique désignant la vie, qui fut adopté par les chrétiens d'Egypte pour évoquer la croix triomphante et glorieuse qui permit à l'empereur Constantin de remporter la victoire à la bataille du pont Milvius.

Surmontant une *lampe en forme de dauphin*, la croix confère à l'animal une signification particulière ; par elle ce sauveteur des naufragés devient sauveur d'âmes. Il est susceptible d'être confondu avec le poisson, et son image peut être associée à l'ancre, symbole d'espoir et de salut. L'idée du salut s'exprime non seulement dans la vie et les actes des saints personnages, mais aussi dans les représentations stéréotypées de l'orant, les deux mains levées dans le geste de la prière. C'est ainsi qu'un *fragment de verre gravé* représente un certain Lamon, dans un jardin paradisiaque, qui peut être un saint personnage ou le propriétaire de la coupe. Sur une boiserie provenant de Baouit, *deux saints cavaliers* affrontés brandissent l'un une croix semblable aux croix de procession, l'autre une couronne ; juchés sur leurs montures, ils illustrent le combat du bien contre le mal et le triomphe de la nouvelle foi sur le paganisme.

Les deux petites fioles en terre cuite appelées *ampoules à eulogie* sont ornées des images de saint Ménas debout en orant entre deux chameaux ; martyrisé à Alexandrie au IIIe siècle, son corps fut transporté par des chameaux jusqu'à son lieu de sépulture dans le désert occidental, où fut édifiée une vaste église de pèlerinage. Venant souvent de très loin, des fidèles affluaient vers son tombeau et rapportaient chez eux des ampoules à eulogie, qui ont, par ce fait, été retrouvées dans tout le monde méditerranéen. Elles étaient destinées à recevoir de l'huile des lampes ou de l'eau bénite (eulogies) du sanctuaire, que les pèlerins conservaient pieusement. Sur l'une des faces de la plus grande a été représentée sainte Thècle, originaire d'Asie Mineure, qui fut enchaînée et livrée à des fauves, mais sauvée par sa foi, que lui avait enseignée saint Paul.

• La vie domestique

Les *cuillers* et les *louches* sont des instruments culinaires qui ont peu changé. Les premières sont en bois ou en fer, avec un cuilleron taillé dans un coquillage. Les

Lampe en forme de dauphin
bronze
IVe-VIe siècle

Ampoule à eulogie
terre cuite
VIe siècle

Patère
bronze
Ve-VIIIe siècle

simpula au long manche sont des louches à puiser utilisées par les Romains et retrouvées en grand nombre en Egypte et dans d'autres provinces. La louche en fer est décorée de deux croix, l'une gravée et l'autre découpée à l'extrémité du manche. Elle provient des fouilles de Kôm el-Ahmar en Moyenne-Egypte. Les *patères* servent au lavement des mains avant et pendant les repas, ou à la toilette. Leurs formes et leurs décors sont très variés. Les manches sont parfois remplacés par des figurines. Le plus curieux d'entre eux montre une Aphrodite brandissant la croix dans une couronne. L'identification de la déesse est confortée par la présence de dauphins à ses pieds et de perles tout autour de la coupe. C'est un nouvel exemple de l'assimilation des iconographies païenne et chrétienne.

La nuit, les demeures sont éclairées au moyen de *lampes à huile*. Les plus modestes se contentent de petits réservoirs en terre, mais il existe des luminaires plus luxueux, en bronze. Ces lampes, plus grandes et décorées, peuvent avoir plusieurs becs ou un réflecteur, de manière à augmenter l'intensité lumineuse. Les *mouchettes* servent à éteindre les mèches. Les lampes de métal sont souvent placées sur des *candélabres*, qui les haussent et les stabilisent. *Deux tissus bouclés* en offrent des représentations. Sur le premier, un serviteur en apporte deux, déjà allumées. Sur l'autre, la lampe brûle devant une croix ansée entourée de palmes. Ce fragment provient vraisemblablement d'une tenture décorée de sujets religieux, disposés en registres superposés. Des pieds, en haut du fragment, indiquent la présence de deux personnages. Un textile de ce type, plus complet, est exposé dans la salle de Baouit (voir p. 126).

Candélabre
bronze
IVᵉ-VIᵉ siècle

Porteur de flambeaux
lin et laine
VIᵉ-VIIIᵉ siècle

• A gauche de la vitrine de la vie domestique, sur le pilastre, sont accrochés *trois reliefs chrétiens*. Le thème du poisson et du dauphin apparaît sur deux reliefs de Haute-Egypte. L'un provient du cimetière d'Ermant ; le bandeau terminant la partie haute indique qu'il provient sans doute du couronnement d'un monument funéraire. Le pendant de cette pièce est conservé au musée Czartoryski, à Cracovie : deux dauphins affrontés, surmontés chacun d'une croix, étaient séparés par un motif central aujourd'hui disparu. L'autre a été retrouvé à Tôd : la même composition réunit deux poissons de part et d'autre d'une croix dont seule subsiste la branche inférieure.

Les deux anges qui soutiennent la couronne renfermant la croix reproduisent un schéma identique à celui qui ornait le tissu peint (exposé dans la vitrine de l'Egypte chrétienne). Un relief semblable était inséré au centre du mur extérieur du chevet de l'église sud de Baouit. Cet exemplaire, retrouvé dans la même église, devait également être placé à un endroit important de l'édifice.

• Entre les fenêtres est présentée une collection de verrerie.
Les verriers d'époque pharaonique savaient travailler la pâte de verre. Les Romains ont introduit en Egypte le verre soufflé et la transparence. Le visiteur a déjà rencontré un poisson en verre soufflé dans un moule, dans la vitrine des thèmes nilotiques, et un fragment de verre gravé, dans celle consacrée aux thèmes chrétiens. Ici, *deux coupelles fragmentaires* ont un décor peint, végétal et animalier. Les *coupes et la carafe* colorées dans la masse proviennent d'Edfou. Ces formes sont connues dès le Ve siècle mais le contexte archéologique est posté-

Verrerie
Edfou

Encensoir
bronze
Ve-VIe siècle

Lampe en forme de dromadaire
bronze
Ve-VIIIe siècle

rieur à la conquête islamique. C'est aussi l'époque qu'il conviendrait d'attribuer à l'ensemble de *vanneries*, dont certaines contiennent encore des fragments du gobelet en verre qu'elles protégeaient. Il provient, en effet, de la tombe de Thaïs, à Antinoé. Or les vêtements portés par la défunte sont datables des IXe ou Xe siècles.

• De nouveaux exemplaires de *lampes en bronze* accompagnent des *encensoirs*, d'une grande qualité de réalisation [vitrine centrale]. Quelques lampes sont du type précédent, posées sur un petit pied, qui pouvait se ficher sur un candélabre. Les autres épousent la forme d'un animal. La série des colombes peut être suspendue au moyen de chaînettes fixées sur le dos de l'oiseau. Le trou pour l'alimentation en huile est fermé par un couvercle ; celui de la mèche est placé au bout de la queue. Sur le dromadaire, ces orifices sont camouflés dans les paniers arrimés sur la bosse ; une clochette est accrochée à la lèvre de l'animal et une chaîne permet de suspendre l'ensemble. Ni les croix, qui décorent certaines lampes, ni la forme de colombe, qui peut faire penser à l'Esprit-Saint, n'impliquent une utilisation liturgique de ces objets. Il en est de même pour les encensoirs, qui, s'ils sont indispensables aux purifications religieuses, s'utilisent aussi à la maison, selon les habitudes orientales. Tout comme les lampes, ils épousent les formes les plus variées et peuvent être posés ou balancés au bout de leur chaîne. Un exemplaire en argent est décoré de masques antiques. Par les yeux et la bouche de ces figures tragiques s'échappait la fumée de l'encens. Un autre, en bronze, est traité comme une tête humaine et son couvercle, formant le chapeau, est décoré d'une seconde tête. Etranges aussi sont les groupes animaliers où une lionne terrasse un sanglier. Les fumigations sortaient par la gueule et par les oreilles du félin. Six autres exemplaires de cette sorte sont connus. La série pourrait avoir été fabriquée en Haute-Egypte aux environs du Ve siècle.

• La toilette et les loisirs

Les objets de toilette ont été disposés autour de *figurines* qui nous donnent une idée de la femme copte : elle est vêtue d'une tunique décorée de bandes et de médaillons en tapisserie aux teintes vives, porte les cheveux courts ou ramenés en chignon et entoure volontiers son visage d'un bandeau réalisé en laine colorée. Des exemplaires de ces coiffures proviennent des fouilles d'Antinoé. Selon l'archéologue Albert Gayet, les couronnes de laine constituent la bordure de mantelets couvrant la tête et le corps des défuntes. Une tête féminine, décorant la panse d'une petite *cruche en métal*, s'est parée de boucles d'oreilles en or. Une *figurine de bronze* se coiffe avec un grand peigne à double rangée de dents, semblable aux beaux *peignes en bois et en os* disposés autour d'elle. Cette Aphrodite à sa toilette délaisse le style classique pour une interprétation plus moderne du sujet, avec des membres disproportionnés et un visage stylisé, qui n'en dépeint pas moins l'expression spontanée et hautaine d'une femme sûre de son effet. Elle devait s'admirer dans un miroir, que la cassure de la main droite a fait disparaître. Dans l'ancienne Egypte, les *miroirs* étaient des disques de cuivre polis. Les Romains ont fait connaître le verre étamé, ou tout au moins doublé d'une couche de plomb réfléchissante. Les montures sont enchâssées dans un cadre de plomb ou de bois. L'exemplaire octogonal était en outre revêtu d'un placage en argent, dont il reste quelques fragments. Maquillage et parfumerie ont toujours passionné les Egyptiens, nécessitant toutes sortes de *flacons*, fioles et stylets. La production copte est très variée, utilisant le verre, le bronze, l'os et le bois. Quelques récipients au fond pointu sont placés sur de petits supports pyramidaux en métal. Leur forme est reprise par les *tubes à fard* en bois ou en os, dont les deux parties sont sculptées dans une même pièce. Des traces de leur contenu ont pu être analysées. Il s'agit de galène, base du kohol employé pour souligner les paupières. Les *bijoux* coptes sont assez sobres, du fait qu'ils sont fabriqués avec des matériaux modestes, comme le cuivre ou le fer. Des boucles d'oreilles en argent rappellent cependant la mode byzantine des pendeloques tombant sur les côtés du visage. Les bracelets peuvent protéger ceux qui les portent, grâce à des gravures prophylactiques, comme nous l'avons vu dans la vitrine consacrée à la magie. Les croix portées en pendentifs ou comme boucles d'oreilles sont aussi des bijoux protecteurs.

C'est ainsi paré qu'il convient de participer aux fêtes qui scandent l'année égyptienne. La musique est

Petite cruche en forme de tête féminine
bronze et or
Ve-VIIIe siècle

Femme à la toilette
bronze
V^e-VIIe siècle

Flacon sur support
bronze
Ve-VIIIe siècle

Joueuse de crotales
bronze
Vᵉ-VIIIᵉ siècle

Peigne décoré d'une scène de concours de poésie
ivoire
Vᵉ siècle

Jouet à roulettes
bois
V-VIIIᵉ siècle

un élément indispensable à ces célébrations, religieuses ou profanes, et au déroulement des banquets. Les *crotales*, petites cymbales placées au bout de longs manches, les *cliquettes* et les *castagnettes* sont les instruments à percussion qui accompagnent le son des *flûtes* et des *clochettes*. Les figurines en bronze, *joueuse de crotales* et *Aphrodite aux amours musiciens*, replacent ces concerts dans le contexte bachique. Les pâtres et les satyres des *tapisseries* en font partie. Ces textiles décoraient des tuniques, probablement portées pour la circonstance. Les jeux du cirque et de l'amphithéâtre, introduits en Egypte par les Romains, sont encore très appréciés à l'époque byzantine. Si les chrétiens ne tolèrent plus la mise à mort de gladiateurs, ils conservent néanmoins un goût particulier pour les courses de chars et les représentations théâtrales. Le *peigne en ivoire*, décoré d'une scène de concours de poésie, est peut-être la récompense même d'un vainqueur. Les personnages sculptés en miniature récitent leurs vers, tandis qu'une inscription gravée clame : « Vive la fortune d'Helladia et des Bleus ! Amen. » Cette dénomination évoque les factions byzantines, qui, sous la bannière des Bleus ou des Verts, défraient la chronique par leurs rivalités politiques, exprimées dans leur soutien aux compétitions sportives ou intellectuelles. L'esprit ludique s'exprime aussi dans les *jeux de société*. Une tablette en bois et os présente des trous pour faire avancer les pions. Ceux-ci peuvent être rangés dans un tiroir ménagé dessous. Un objet semblable provient de la tombe de Thaïs à Antinoé et peut ainsi être daté du IXᵉ ou du Xᵉ siècle. Quant aux enfants, ils s'amusent avec des poupées de chiffon et des *jouets en bois*, comme ces petits cavaliers à roulettes qu'il peuvent traîner derrière eux.

• Boiseries à décor sculpté et peint

Bien que ce matériau ait été rare en Egypte, le bois a toujours joué un rôle important, d'abord dans les constructions navales, mais aussi dans l'architecture, le mobilier lié à la vie quotidienne ou aux pratiques funéraires. Il fallut donc de tout temps importer des bois, car la quantité et la qualité ne suffisaient pas à la consommation. A l'époque copte, la situation économique est telle que l'on doit souvent se contenter des essences locales. Néanmoins les artisans égyptiens restent, dans ce domaine, renommés jusqu'en pleine période arabe.

Une *fiole à kohol* est constituée d'une amphore miniature dressée sur un socle et adossée à une plaquette ; elle est entièrement recouverte de motifs géométriques et végétaux. Sur le revers de la plaquette apparaît la déesse Gê (la Terre) reconnaissable à sa coiffure feuillue et à la corne d'abondance. Elle est vêtue d'une tunique et d'un manteau drapé, typiquement romains, dont le traitement en faisceaux de plis arrondis rapproche l'œuvre de la production méditerranéenne des Ve et VIe siècles. On conçoit qu'un objet si féminin ait été décoré d'une déesse évoquant la prospérité et la fécondité.

Les *trois panneaux fragmentaires montrant des animaux* (âne broutant, lion bondissant dans un fourré, antilope) faisaient probablement partie d'éléments de meuble, qui devaient venir s'encastrer dans des montants, comme on peut le constater sur un bel

Fiole à kohol
face et revers
bois
V^e-VIe siècle

exemplaire du musée de Berlin. En revanche, c'est au moyen de tenons et de mortaises qu'était fixée la *frise ornée d'un oiseau aux ailes déployées placé entre deux quadrupèdes* ; un double méandre renfermant des fleurons tapisse les zones latérales. La *bulla* que l'oiseau porte sur la poitrine est une réminiscence de la *bulla* romaine, mais sa signification dans ce contexte n'a pas été élucidée. Le traitement en méplat de cette sculpture contraste avec le vigoureux modelé de la *frise aux paons et aux cailles*. Deux paons sont affrontés à un vase au pied duquel surgissent deux guirlandes ; des cailles

Ane broutant

bois
Vᵉ-VIIIᵉ siècle

sont occupées à picorer les guirlandes ou les fruits déposés dans des paniers. Alors que la caille est utilisée comme simple motif décoratif, le paon peut prendre une valeur emblématique : perdant son magnifique plumage en hiver, qu'il retrouve au printemps, il devient le symbole de la résurrection des corps. Il est possible que cette frise ait été utilisée comme linteau, en raison de son épaisseur. Un autre *linteau* est constitué d'une poutre dont le centre est marqué par un buste de saint dans une couronne ; de part et d'autre, une inscription invoque l'archange Michel et l'*apa* (père) Apollô, fondateur du monastère de Baouit. Ce type de composition est caractéristique de nombreux linteaux en pierre ou en bois découverts dans les monastères coptes.

Les boiseries peintes rentraient également dans l'ornementation architecturale. Néanmoins, en raison de l'état fragmentaire des objets, il est difficile de distinguer entre éléments du décor architectural et éléments du décor mobilier. Sur l'un d'eux, un *oiseau à aigrette*, dont le corps est orné de deux rubans perlés, est tiré du répertoire sassanide. Un autre, très fragmentaire, était composé d'une suite de cadres ; dans celui qui subsiste évolue un superbe *poisson* comparable aux spécimens rencontrés sur les tapisseries. Le *personnage*

Tablette à la tychè de Constantinople

bois peint
Edfou
1ʳᵉ moitié du VIIᵉ siècle

tenant par la bride un cheval cabré reproduit une image familière apparue à l'époque grecque. L'homme est vêtu d'un costume perse (tunique courte à galons maintenue par une ceinture, pantalon ou jambières), caractéristique des cavaliers et des voyageurs. La pièce la plus curieuse de cet ensemble est la *tablette à la tychè de Constantinople*. Figurée traditionnellement avec une coiffure tourelée et appuyée sur une longue lance, elle est identifiée par une inscription livrant son nom hiératique, la « Belle Florissante », qui fut donné à la ville par Constantin lors de sa fondation, le 11 mai 330. Ce modèle de personnification de ville (*tychè*) est bien connu depuis la célèbre *tychè* d'Antioche du sculpteur Euthychidès, élève de Lysippe. Cette peinture, dont le style est tout à fait dans la ligne des peintures monastiques des VIᵉ et VIIᵉ siècles, recouvrait une inscription araméenne du début du VIIᵉ siècle reproduisant des textes évangéliques. Au revers, une inscription arabe mentionne le nom d'Allah.

Le visiteur revient vers la vitrine située entre les fenêtres.

• La Vierge filant

Le *bas-relief*, sculpté dans du bois de figuier et rehaussé de peinture, montre la Vierge assise, un panier dans la main gauche et la main droite levée dans le geste de filer. Mais elle semble arrêtée dans son travail par un événement qui la stupéfie. Cette expression se lit sur son visage, tourné vers nous, avec de grands yeux écarquillés. L'archange annonciateur était devant elle, mais la cassure l'a fait disparaître et il n'en reste que le pied. L'iconographie est tirée d'Evangiles apocryphes qui décrivent Marie au moment de l'Annonciation. Elle est en train de filer la laine pourpre qui doit servir à tisser un voile pour le temple de Jérusalem.

Autour de la *Vierge filant* sont présentés des textiles aux couleurs chatoyantes, représentatifs de l'art copte à son apogée.

Les grandes *bandes de tapisserie* sont du type de celles qui bordaient les rideaux en lin. Elles donnent des variantes du rinceau d'acanthe stylisé, habité de fleurs, de fruits ou d'animaux. Les *carrés* entourés de boucles de lin, qui formaient sans doute le fond de grands châles ou de couvertures, présentent en leur centre un centaure ou un animal. Ce peut être un ours,

Vierge filant
bois
Vᵉ siècle

100

qui ne vit pas en Egypte mais se rattache à la tradition romaine des jeux du cirque, où de courageux belluaires se battaient contre des bêtes sauvages. C'est souvent un canard, animal familier des marécages, où il était chassé depuis l'époque pharaonique. Les *scènes animalières* sont parfois peu réalistes, comme un lapin grappillant des raisins dans une vigne qui sort d'un canthare ou un aigle éployé tenant une couronne dans le bec. Son collier et son plumage rouge sont peu naturels. C'est probablement l'oiseau psychophore, représenté aussi sur de nombreuses stèles funéraires, qui emporte au ciel l'âme des défunts, selon la vision des Romains. Une telle apothéose, d'abord réservée aux héros et aux empereurs, fut récupérée par les simples mortels.

- La vitrine centrale montre l'utilisation du métal dans la vie quotidienne.

La *grande coupe* semble être la transposition d'une céramique dans le bronze. Sa forme imite le galbe et le rebord arrondi d'une poterie. Son décor gravé reproduit des motifs peints sur la terre cuite : rinceau, oiseaux, poissons. Les bateaux, moins communs, évoquent la navigation sur le Nil. La *coupe à deux anses mobiles* est un modèle plus particulier au métal. Le type est répandu en Egypte et peut-être même exporté vers des régions lointaines. Quelques trouvailles, en Europe, d'un matériel semblable font supposer un commerce de bronzes coptes vers l'Italie, l'Espagne et les contrées germaniques. Cependant, si les formes sont comparables, la technique est différente. Les bronzes qualifiés de coptes retrouvés en Europe sont généralement des produits de chaudronnerie, martelés, alors que leurs homologues égyptiens sont coulés en masse. L'usage de telles coupes est discuté : contenaient-elles des liquides, des solides ou bien des braises, comme les encensoirs et les braseros ? La *chope* a une forme fonctionnelle, avec une anse à poucier, qui permet de bien l'avoir en main. Le propriétaire, un certain Adrianos, a gravé son nom près du bord. Les *bouteilles* montrent un type romain, à la panse arrondie, et une variante facettée, décorée de languettes, particulièrement attestée en Egypte. Le *flacon* est, lui aussi, caractéristique du style copte. Monté sur des pieds en forme de pattes, il est orné d'éléments en relief, arcades, perles et rinceaux. Une charnière subsiste au niveau du col, mais le couvercle a disparu. Un exemplaire complet, au Musée copte du Caire, présente un couvercle plat surmonté d'une figurine d'oiseau. Les Coptes travaillent aussi le fer pour fabriquer des instruments. Les trois *clés* font partie d'une série découverte à Edfou. Elles illustrent le type romain, perpétué pendant plusieurs siècles. La plus petite et celle au manche en bois sont datées par l'archéologie entre le VIIIe et le XIe siècle. La troisième leur est antérieure d'un demi-millénaire. Le système à dents ouvre des serrures à chevilles, généralement en bois. Le panneton tournant dans la serrure est réservé aux petites clés, souvent munies d'un anneau de manière à pouvoir les porter au doigt.

L'ART DES COPTES
DANS L'ÉGYPTE ISLAMIQUE
À PARTIR DU VIIIe SIÈCLE

L'Egypte est conquise par les Arabes en 641. Ses nouveaux maîtres y apportent la religion islamique et élaborent un art nouveau, dans un contexte commun à tout le monde musulman, sans toutefois se démarquer brutalement des traditions artistiques antérieures. En effet, les conquérants découvrent les techniques coptes, auxquelles sont familiarisés aussi les Egyptiens nouvellement convertis à l'islam. L'évolution de l'art copte est bien sûr infléchie par ces circonstances. Il ne concerne plus, désormais, que l'art des chrétiens d'Egypte et s'exprime principalement dans le domaine religieux. Très peu d'églises nouvelles sont construites, mais, selon les périodes, les gouvernants tolèrent la réfection et l'entretien de ces bâtiments. Il en va de même pour les monastères. Si de nombreux établissements périclitent, comme celui de Baouit, bientôt abandonné aux sables, les grands monastères de la mer Rouge et du Ouadi Natroun s'agrandissent. Ils s'entourent de murailles et des donjons sont construits pour les protéger des incursions des Bédouins. Dans les églises, les peintures murales sont sans cesse refaites, de telle sorte que les couches superposées gardent encore, pour la plupart, le secret de leur datation. Il faut signaler l'œuvre de peintres syriens, qui ont signé de belles compositions dans l'église consacrée à la Vierge, au monastère des Syriens (Ouadi Natroun). Cet édifice a conservé des boiseries et des parements stuqués, exécutés dans le style islamique, très proche de la décoration des mosquées toulounides. L'assemblage de petites pièces de bois sculpté, parfois incrusté d'ivoire, est un artisanat qui se développe aussi bien chez les musulmans que chez les Coptes. Ces derniers insèrent simplement le motif de la croix au lieu d'une épigraphe coranique. Dans la production d'objets usuels, il est impossible de distinguer une tendance proprement copte et une autre spécifiquement islamique, car les Egyptiens partagent le même mode de vie, qu'ils soient chrétiens ou musulmans. Encensoirs de bronze et vaisselle en cuivre sont utilisés par les deux communautés. Une nouvelle forme de brûle-parfum voit le jour. Les proportions de sa cassolette à manche horizontal et de son couvercle en dôme ajouré évoluent bientôt vers un type purement islamique, répandu aussi hors d'Egypte, avec des décors en métal incrusté. Cette technique, ignorée des Coptes, fera la gloire des dynasties fatimide et ayyoubide. Peu à peu les chrétiens se distinguent également des musulmans dans l'art du textile. Si ces derniers ont adopté les techniques de tissage, les matières et la mode vestimentaire qu'ils ont rencontrées en Egypte, ils s'orientent bientôt vers des formules différentes. Les tisserands coptes, quant à eux, conservent leur répertoire décoratif, mais leur style évolue. Les tuniques se changent en de lourdes robes très amples, tout en laine, garnies de franges. La disposition du décor reste traditionnelle, alors que la schématisation des formes et la segmentation des représentations changent complètement l'allure des tapisseries. Sous les Fatimides, la mode est aux entrelacs géométriques monochromes. Plus tard encore, les ornements liturgiques sont brodés, au fil de coton, de textes et de figures.

L'évolution de l'art copte dans l'Egypte islamique est d'autant plus limitée que le nombre des chrétiens a rapidement diminué. Cet art des Coptes a cependant évolué et s'est maintenu jusqu'à nos jours, où il connaît un certain renouveau.

• Les cavaliers

[vitrine placée entre les fenêtres]

Ce thème est omniprésent dans l'Egypte chrétienne. Le cheval n'est jamais monté à l'époque pharaonique. Il faut en effet attendre la période grecque pour trouver des stèles portant l'image du dieu syrien Hérôn à cheval, vénéré par des communautés étrangères installées en Egypte. L'importation de ce motif oriental à travers la Méditerranée a donné naissance à des représentations de cavaliers chasseurs, orants ou triomphants. C'est ainsi que l'art du *tissage* reproduisit comme un leitmotiv le cavalier chevauchant sa monture et accompagné de toutes sortes d'animaux (chien, lièvre, lion, taureau…) ; d'une main, il maintient les rênes, de l'autre, il fait le signe du salut ou brandit une lance. Sur le *fragment d'ivoire*, il semble attaqué par deux animaux ; cet objet, orné sur le revers d'un superbe rinceau de vigne, devait appartenir à une pièce de mobilier comparable à la chaire de Maximien conservée à Ravenne (VIe siècle). Le modèle a été retenu pour représenter l'empereur ou des divinités, tel Horus cavalier. Avec la christianisation et l'essor du culte des saints, le cavalier devient le défenseur du Christ et de son Eglise. C'est pourquoi l'image du *saint cavalier*, terrassant les forces malfaisantes (souvent un serpent comme sur le tissu présenté), apparaît au-dessus des portes et dans les narthex en tant que témoin de la foi chrétienne et protecteur de l'espace sacré.

Médaillon au cavalier
lin et laine
IXe siècle

*Cavalier attaqué
par deux animaux*
ivoire
VIIIe siècle

Encensoir à l'aigle
bronze
VIIIe-IXe siècle

• Dans la vitrine centrale, l'*encensoir en bronze* est le plus bel exemplaire conservé au Louvre d'une série apparue vers le VIIIe siècle. Très différent des encensoirs suspendus au bout de chaînes, ce modèle possède une cassolette reposant sur trois pieds, traités en lapins aux longues oreilles. Elle était munie d'un manche horizontal, qui a disparu. Le couvercle, pivotant autour d'une charnière, est ajouré, tout comme le pourtour de la cassolette où brûlait l'encens. Les fumigations s'échappaient par les orifices de cette extraordinaire dentelle métallique. Le bouton soudé au sommet est surmonté d'une figurine en bronze coulé et gravé. L'aigle éployé se dresse fièrement pour présenter le serpent qu'il tient dans son bec.

Tapisserie au portrait
lin et laine
VIe-VIIIe siècle

• Portraits en tapisserie

C'est dans des coloris très vifs et très tranchés que les tisserands coptes ont dessiné les traits de personnages masculins ou féminins qui portent la marque d'un humour indéniable. Le thème existe aussi dans les autres techniques (sculpture, peinture, céramique), mais c'est bien dans le tissage qu'il prend une force artistique et une multiplicité de facettes tout à fait étonnantes. La schématisation, allant jusqu'à l'outrance, fait souvent disparaître les cous, arrondit les yeux, allonge les visages. Jusqu'ici, il a été impossible de déterminer l'identité des personnes. Les dames peuvent être reconnaissables à leurs colliers et à leurs longues boucles d'oreilles, bien qu'il soit parfois délicat de trancher la question. Sur les peintures, les inscriptions mentionnent parfois des noms de saints ou des personnifications de vertus. L'un des portraits pourrait figurer un vainqueur au cirque : il est revêtu de la chlamyde, attachée à l'épaule par une fibule, et est coiffé d'une couronne de laurier. Les encadrements extrêmement soignés ajoutent à la qualité esthétique des œuvres.

Tapisserie aux danseurs
lin et laine
VIIIe-IXe siècle

• Les tissus à l'époque copto-arabe

A l'époque islamique, la laine supplante le lin pour l'ensemble du tissage, alors que précédemment l'association de la toile de lin et d'un décor en tapisserie de laine était à la mode. Le lin est désormais réservé, dans le décor, aux zones de couleur blanche. Les ornements de tapisserie sont toujours à l'honneur et conservent la disposition traditionnelle en bandes, carrés et médaillons. Le répertoire est vaste. Les frises géométriques ont tendance à s'enchaîner en réseaux. Sous les Fatimides, les rosettes octogonales remplies d'entrelacs forment des décors denses, de couleur lie-de-vin. Les bandes peuvent aussi être peuplées d'animaux et de personnages aux couleurs vives. Les sujets du répertoire ancien, comme *les danseurs* ou les *putti*, sont inlassablement recopiés. Ils sont interprétés dans un style nouveau, très schématique, où les membres, disproportionnés, sont souvent séparés des corps, ou même absents. Ces déformations sont si importantes qu'il est difficile d'identifier les personnages et les animaux. Il faut suivre l'évolution des formes à travers les siècles pour comprendre certaines représentations. Ainsi, les figures de danseurs et de danseuses, issues des cortèges bachiques, perdent peu à peu leur modelé, leurs gestes se figent, leurs visages, vus de face, nous fixent de leurs grands yeux. L'étape ultime de cette évolution s'accomplit au XIIe siècle. Les danseurs n'ont plus alors qu'une tête et des membres rectangulaires. Quelques sujets sont pourtant reconnaissables. Le cycle biblique de l'histoire de Joseph est bien représenté sur des *médaillons* conservés dans plusieurs musées. Les plus complets montrent différents épisodes de la vie du patriarche, disposés autour de la représentation de ses songes. Ces scènes narratives,

Médaillon à l'histoire de Joseph
lin et laine
IXe-Xe siècle

dont plusieurs se passent en Egypte, plaisent particulièrement aux Coptes. Parmi les motifs religieux, la *croix* est toujours à l'honneur. *Quatre petites tapisseries où est tissé le nom de Dieu en arabe (Allah) attestent la communauté de civilisation entre musulmans et Coptes dans les premiers siècles de l'islam.*

• Les arts décoratifs

Panneau au saint personnage
bois
XIIIᵉ siècle

Les objets de la vie quotidienne ramènent toujours aux mêmes typologies, mais ils évoluent soit dans leurs lignes, soit dans leur ornementation. Certaines *lampes en pierre ou en bronze* prennent la forme de boîtes ; le *brûle-parfum en pierre* renouvelle complètement ce type d'objet constitué alors d'une cassolette pourvue de multiples protubérances. Avec son manche horizontal, il ressemble aux cassolettes des encensoirs en bronze, dont un bel exemplaire est présenté [voir aussi vitrine centrale].

Un petit *coffret en bois et ivoire* a été recouvert de plaques de métal découpées en fleurons et en languettes timbrées de croix.

Les *fioles en verre*, réceptacles des parfums et des onguents, s'ornent de cannelures taillées dans la masse, mais reprennent des modèles plus anciens.

Une série de *figurines en os* d'aspect tout à fait sommaire montre des personnages nus dont les détails anatomiques sont marqués par des incisions ; des exemplaires appartenant à d'autres musées sont pourvus d'une chevelure factice et de vêtements, ce qui conduit à penser qu'il pourrait s'agir de poupées.

Les *deux panneaux ornés d'animaux affrontés* (paons et gazelles) appartenaient manifestement au même objet. Le traitement en méplat associé à l'allure presque végétale des cornes, des pattes et des plumages se retrouve sur des stèles et d'autres boiseries d'époque arabe. Très différents, car conçus techniquement et stylistiquement à la manière des boiseries islamiques, sont les *deux panneaux à motifs géométriques* enserrant une croix. L'assemblage au moyen de rainures et de languettes est courant sur les portes de cette période ; d'ailleurs, l'utilisation d'hexagones en forme de navette et le motif du rinceau fin et élégant sont caractéristiques des époques fatimide et ayyoubide. C'est ce que l'on retrouve sur les *deux panneaux aux saints personnages* : sur un fond d'arabesques se détachent les deux silhouettes élancées. En revanche, la courte coiffure et la petite barbe pointue ainsi que la longue tunique recouverte d'un manteau drapé sont influencées par l'art byzantin. Chacune des figures est auréolée et porte en main un livre ou un rouleau (?).

• A gauche de la sortie est exposé un *grand tissu en lin brodé*. Les broderies apparaissent de manière sporadique en Egypte ; l'emploi de fils de soie et les thèmes traités incitent à les placer sous l'influence byzantine. Ce grand panneau au contraire, brodé en coton, dont plusieurs musées possèdent des exemplaires, est typiquement égyptien. Entièrement bordé de croix, il comporte deux longues inscriptions en caractères coptes, malheureusement incompréhensibles. La composition du décor s'articule à partir d'un cavalier terrassant un dragon. Des quatre personnages, dressés devant lui, les uns croisent leurs mains devant la poitrine, un autre est en position d'orant, le dernier laisse retomber les bras le long du corps. Ils assistent manifestement à l'action du cavalier, qui, malgré l'absence de nimbe, doit être assimilé à un saint. Le champ du tissu est régulièrement divisé par des rangées de doubles carrés renfermant des croix et des guirlandes à feuilles stylisées terminées également par une croix. L'analyse des fibres a révélé l'emploi de coton mercerisé, procédé inventé au XIXᵉ siècle. Cette broderie est donc une œuvre copte récente.

Grand tissu de lin brodé
XIXᵉ siècle

• Au mur, à gauche, la *porte en bois* du XVIe siècle provient d'une église. Sur l'*archivolte* ornée de rinceaux et de pampres de vigne traités en méplat se détachent trois éléments sculptés en fort relief. Au sommet, sur un fond d'entrelacs à l'aspect d'une vannerie, est déposée une pomme de pin. L'un des musiciens est confortablement installé sur un tabouret recouvert d'un gros coussin ; des deux mains il a saisi un pipeau et gonfle déjà les joues. En face, un ange lui répond en entrechoquant deux cymbales reliées entre elles par une guirlande ou une lanière. Alors que le joueur de pipeau est revêtu d'une longue tunique, l'ange porte le court vêtement à pans d'origine orientale. Les musiciens, la vigne, la pomme de pin sont autant de motifs évocatoires de Dionysos et de son cortège. A l'époque chrétienne, on n'hésite pas à réadapter cette thématique à la symbolique de la foi nouvelle, la pomme de pin étant assimilée à l'arbre de vie, la vigne au Christ et les musiciens devenant des anges.

Cette œuvre, datée du VIIe ou du VIIIe siècle, est un bon exemple de l'art sculpté qui s'épanouit dans la vallée du Nil au moment de l'arrivée des Arabes. Cette période, qui est considérée actuellement comme l'apogée de l'art copte, n'était en fait qu'une période de maturation comparable au haut Moyen Age occidental. Si l'arrivée des Arabes au milieu du VIIe siècle ne marque pas une rupture, il est de fait que l'évolution des goûts et donc de l'art est dès lors peu à peu influencée par le monde islamique et le monde byzantin. Néanmoins, une manière artistique authentiquement copte subsistera encore longtemps dans les monastères, véritables conservatoires du christianisme égyptien.

Le visiteur se dirigera à nouveau vers le fond de la galerie pour accéder à la salle de Baouit.

Salle de Baouit

• Le passage vers la salle de Baouit est précédé par un *linteau de bois* décoré. Il dominait probablement l'une des trois portes de l'église dite « sud » du monastère de Baouit. Les extrémités de la poutre en acacia, laissées brutes, s'encastraient dans le mur et restaient invisibles. La partie inférieure présente une grecque. La partie placée verticalement se subdivise en cinq panneaux symétriques. Au centre, trois personnages auréolés sont bien difficiles à identifier. De chaque côté, un texte copte est gravé, mentionnant le père Apollô, le fondateur du monastère, et d'autres moines. Des lettres en plomb y sont intercalées, faisant allusion au Christ (abréviation de « Jésus-Christ » ; alpha et oméga, la première et la dernière lettres de l'alphabet). A l'extérieur sont ajoutés des placages de bois découpés en treillis. Deux éléments sont glissés dans des rainures, formant des retours à angle droit. Ils devaient s'insérer dans la modénature de la porte, poursuivant le jeu des matériaux (bois et pierre), qui alternent dans tout le monument. Les sculptures très endommagées de ces panneaux carrés montrent des saints personnages : Ménas dans le sanctuaire, entouré par ses chameaux emblématiques, et, peut-être, Moïse recevant les Tables de la Loi.

En pénétrant dans le passage, le visiteur est aussitôt attiré par la vue de la grande salle en contrebas, que lui offre le balcon à sa gauche. Au fond se déploie la façade d'une église du monastère de Baouit, monument qui a pu être reconstitué ici et a donné son nom à la salle du musée. En descendant progressivement dans cette salle, le visiteur rencontre tout d'abord une vitrine de grandes céramiques peintes.

• Les *jarres*, destinées à conserver des aliments, sont profondes, carénées et ont été montées soit à la main, soit au tour de potier. Elles présentent, dans leur partie supérieure, un décor peint, de style copte, à base d'arcs de cercles et de gros points, où apparaissent parfois des figures animées, comme le poisson, le lion, ou un personnage en buste. Les exemplaires, qui proviennent d'Antinoé et de Baouit, ont été disposés au-dessus de fragments sculptés en pierre, figurant des *avant-trains de lions*, traités de façon géométrique. Ce sont, en fait, des extrémités de corbeaux, mais leur style est très proche des représentations qui décorent les supports de jarres. Le visiteur en verra deux dans la salle, plus bas, devant la façade de l'église. Ils sont désignés sous le nom de *supports de « zir »*, car ils sont encore utilisés de nos jours pour présenter les grandes jarres (*zir*, en arabe) où les passants puisent l'eau fraîche. Les petits lions ont été trouvés en 1931 à Médamoud, par Fernand Bisson de la Roque. Cet archéologue fouillait les sanctuaires du dieu Montou, établis à Médamoud, au nord de Louxor, et à Tôd, plus au sud. Au-dessus et autour des temples pharaoniques, il découvrit des vestiges coptes, dont certains appartenaient à des églises.

• Le *fond de niche en grès* fait partie de ces éléments, accordés au Louvre en partage des fouilles de Tôd. Il est sculpté d'une coquille timbrée d'une fleur à six pétales, entourée d'une couronne décorée de cabochons. Cette fleur est une forme stylisée du chrisme, le monogramme du Christ. L'arc qui surmonte cette niche est sculpté d'une succession de motifs carrés qui dessinent autant de croix.

• Au fond de la salle, l'*église sud du monastère de Baouit* est le premier monument mis au jour sur ce site de Moyenne-Egypte par Jean Clédat, en 1900. Elle était encore debout jusqu'à la moitié de sa hauteur, ensablée depuis environ huit siècles au milieu d'une colline de débris, qui recouvrait tout le site et qui mesurait près de 800 m de long, du nord au sud. Les archéologues y découvrirent les vestiges d'un couvent, connu par les textes anciens comme ayant été fondé par le père (*apa*) Apollô, dans la seconde moitié du IVe siècle. Mais la plupart des monuments exhumés datent d'une période plus récente, allant du VIe au VIIIe siècle, qui semble être l'époque la plus prospère pour le monastère, en tout cas, celle où l'art s'y développe admirablement. Les peintures les plus tardives, appliquées sur les colonnes de l'église dite « nord », ont pu être réalisées au XIIe siècle. Le complexe monacal était entouré d'un mur d'enceinte. Au centre se dressaient deux églises, parallèles l'une à l'autre. Ne connaissant pas leur attribution, nous les appelons, d'après leur position respective, « église sud » et « église nord ». Les cellules et les bâtiments communs étaient groupés en petites entités, bâties en brique de terre crue et badigeonnées à la chaux. Certaines pièces étaient décorées de peintures murales. Les niches des oratoires étaient particulièrement décorées.

*Façade de l'église sud
du monastère de Baouit*
VIe-VIIe siècle

Après les fouilles, la moitié des trouvailles resta en Egypte. Elle est conservée en grande partie au Musée copte du Caire, qui présente, lui aussi, une « salle de Baouit ». Le Louvre reçut en partage de très nombreuses sculptures architecturales, en calcaire et en bois, ainsi que deux grandes peintures géométriques et quelques objets archéologiques. Cet ensemble donne une bonne idée de l'art de Baouit, dont la réalisation la plus aboutie est l'*église sud*, reconstituée au fond de la salle. Une *maquette* offerte par les amies de N. Shalaby Sarofim la restitue dans sa globalité.

Le sol en a été dallé de granit afin d'évoquer le matériau utilisé par les Coptes pour le pavement et pour les fûts des colonnes, granit qu'ils avaient probablement extrait d'antiques monuments pharaoniques, comme il était d'usage à cette époque. La structure de support des sculptures authentiques a été réalisée en béton afin de n'introduire aucune ambiguïté dans la présentation. Cela a permis d'évoquer la modénature de l'édifice, caractéristique de l'architecture religieuse copte. Le monument est en lui-même une œuvre sculptée. Il est ceinturé de *frises*, alternativement en pierre et en bois. Ses éléments architectoniques sont soulignés par des sculptures, qui à l'origine étaient peintes. Quelques pièces conservent encore des traces de couleurs.

La façade présentée au public est, en fait, le long mur nord de l'édifice. Le mur ouest ne comportait pas d'ouverture, contrairement aux églises d'Occident, qui y placent leur portail principal. Les deux *portes* ménagées dans ce mur nord sont particulièrement décorées. La porte de gauche ouvre sur le chœur ; elle est surmontée par une sculpture, qui devait se trouver au centre d'un tympan, et qui représente Jonas sortant de la « baleine ». La porte de droite, encore plus richement ornée, donne dans la nef. Elle est surmontée d'un *linteau* admirablement travaillé, où interviennent trois essences différentes, l'acacia, le tamaris et le figuier. Les lettres alpha et oméga y sont incrustées en plomb, de part et d'autre du motif central, qui figure la croix dans son sanctuaire. Les textes gravés associent les archanges Michel et Gabriel au père fondateur, *apa* Apollô, et à son compagnon, *apa* Phib. Au-dessus, une arcade aux tiges d'acanthe finement sculptées renferme l'image d'un saint cavalier tuant un serpent, placée dans une chapelle, au milieu d'un décor végétal. De chaque côté de la porte était inséré un *panneau en bois sculpté*. Sous celui de gauche, un artiste a gravé son nom : « Le sculpteur, c'est moi, Joseph. Priez pour moi ! Amen ! »

*Linteau de l'église sud
du monastère de Baouit*
bois
VIᵉ-VIIᵉ siècle

Entrant par cette porte, le visiteur pénètre dans la nef de l'église et découvre son plan basilical très simple.

*Chapiteau de l'église sud
du monastère de Baouit*
calcaire
VIᵉ-VIIᵉ siècle

• Cette nef est partagée en trois espaces par deux rangées de colonnes. Quatre d'entre elles ont été matérialisées en béton, afin de supporter les magnifiques *chapiteaux* retrouvés sur le site. Ils illustrent la variété des types employés, corinthien et byzantin, en forme de corbeille, ainsi que l'art des sculpteurs égyptiens, qui ont réalisé une dentelle de pierre sous la forme de végétaux entrelacés ou de vannerie tressée. Ces pièces maîtresses de l'architecture, auxquelles répondent, sur les murs, des chapiteaux de pilastres de type corinthien, soutenaient vraisemblablement des architraves. Une grande poutre sculptée, longue de 4,25 m, conservée au Musée copte du Caire, en faisait peut-être partie ; elle est décorée de la même manière que les linteaux, avec des figures d'anges et de saints en relief, des textes gravés en copte et les lettres alpha et oméga, qui ont laissé la trace de leur incrustation. Les bas-côtés ne montaient pas plus haut. La partie centrale de la nef, au contraire, s'élevait d'un étage, ce qui permettait l'éclairage par une série de fenêtres, entre lesquelles s'intercalaient des pilastres, dont certains ont été retrouvés dans les fouilles. La couverture de l'édifice était probablement un toit à double pente posé sur une charpente, comme il était de règle dans les églises paléochrétiennes. Le chœur est séparé de la nef par deux murs de refend bordés par deux colonnes engagées, qui supportaient l'arc triomphal. Le sanctuaire a une forme rectangulaire, scandée par des niches. Son mur sud [au fond] n'est pas percé d'une porte, comme du côté nord, mais d'une niche, sur laquelle a été replacé un superbe *fronton brisé* contenant une coquille. Dans l'axe de l'édifice, l'abside est très peu profonde. Une peinture représentant le Christ donnant la communion aux apôtres y était encore faiblement visible au moment de la découverte. Au-dessus, un œil-de-bœuf éclairait l'espace sacré, tandis qu'à l'extérieur, au même endroit, la frise sculptée était marquée par un tableau axial qui représente deux anges portant la croix dans une couronne. Cette sculpture du chevet est aujourd'hui exposée au Musée copte du Caire.

• Deux niches contiennent quelques *objets archéologiques et épigraphiques* provenant des fouilles du monastère. Ils illustrent la vie économique du couvent. Les comptes et reçus de marchandises sont consignés sur des papyrus ou des *ostraka**, fragments de vases réutilisés par les scribes. L'un de ceux-ci mentionne un transport de condiment. Un autre signale une livraison de vin. De nombreuses amphores ont d'ailleurs été retrouvées sur le site. Elles étaient fermées par des bouchons de terre crue, grossièrement modelés sur le goulot, frappés par des sceaux.

• Revenant dans la nef, le visiteur se trouve face à la peinture montrant *le Christ et l'abbé Ména.*

Elle est présentée sur une cimaise, en léger retrait par rapport à l'architecture reconstituée, car, si elle provient bien du monastère de Baouit, il n'est pas certain que sa place originelle ait été dans l'église sud. Cette œuvre – une des rares peintures sur bois remontant au VIe ou au VIIe siècle – est l'unique icône copte conservée au Louvre. Par cette rareté et par sa qualité picturale, elle constitue le fleuron de la collection. A droite, le Christ barbu est identifié par une auréole timbrée de la croix et par son nom inscrit en copte : « le Sauveur ». Il tient le livre des Evangiles et passe un bras autour des épaules d'*apa* Ména, le supérieur du monastère, comme l'indique l'inscription deux fois répétée près de lui. Le saint homme est représenté presque à l'égal du Christ. L'air grave des deux personnages, leurs visages émaciés, aux grands yeux cernés, et leur attitude réservée témoignent de l'idéal

Le Christ et l'abbé Ména
bois peint
Baouit
VIe-VIIe siècle

115

ascétique des moines d'Egypte. La simplicité du rapport de l'homme avec Dieu trouve un écho dans les textes relatant la vie de saints moines, habitués aux rencontres merveilleuses avec le divin.

• Dans le long mur qui fait face à la porte d'entrée se trouvait une autre porte en tout point semblable. Le passage n'a pas été restitué parce que l'église est placée au fond de la salle d'exposition. Son encadrement a cependant servi à présenter la *porte en bois de l'église nord*, constituée de petits panneaux en tamaris, encastrés selon une technique développée par les Coptes. Le cadre de chaque panneau est orné de rinceaux à palmettes, qui permettent de proposer une datation du IXe siècle.

• Les *lustres en bronze*, suspendus dans la nef, ne proviennent pas de Baouit. Ils ont été accrochés tels qu'ils devaient l'être dans une église, selon un mode d'éclairage encore pratiqué dans les églises coptes, à cette différence près qu'aujourd'hui les ampoules électriques ont remplacé les mèches et l'huile dans les bobèches.

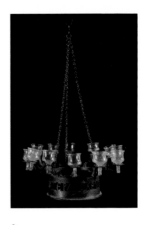

Lustre
bronze (les bobèches sont modernes)
V[e]-VIIe siècle

• Le visiteur quitte l'enceinte de l'église. Sur les murs de la salle, à droite et à gauche, sont placés des éléments architecturaux provenant du site de Baouit, mais pas de l'église sud, ou qui n'ont pas pu y être présentés, comme cette *colonne engagée* [entre les deux vitrines murales], qui provient du chevet.

• Entre l'église et la vitrine des stèles funéraires, *un pilier ou montant de porte*, sculpté sur deux faces, montre, en sa partie supérieure, un ange et un saint personnage. Son fût est décoré d'imbrications géométriques, d'un côté, et, de l'autre, d'un rinceau de vigne habité par des oiseaux, d'une très belle facture.

• Il faut lever les yeux pour admirer le *corbeau en bois*, qui a été placé en situation. Cette pièce architecturale était partiellement incluse dans la maçonnerie de manière à supporter un autre élément architectonique, peut-être une poutre ou la retombée d'un arc. La partie arrière, peu travaillée, était invisible. Une mortaise y apparaît, prévue sans doute pour un meilleur ancrage dans le mur. La partie saillante, au contraire, est décorée d'une grosse feuille d'acanthe, encadrée par une guirlande de laurier et un rang de palmettes. Le corbeau est sculpté dans du bois de figuier. Il provient du monastère de Baouit, comme toute une série conservée au Musée copte du Caire. Leur décor est végétal, géométrique ou figuratif, représentant un saint personnage placé sous une arcade. Ces corbeaux proviennent d'un bâtiment important, vraisemblablement l'une des églises du couvent. En effet, les simples chapelles étaient couvertes de coupoles ou de voûtes en berceau de brique crue, qui ne nécessitaient pas de tels éléments porteurs.

• Trois *dalles inscrites* donnent des noms de moines de Baouit. Les inscriptions peintes citent en particulier le trio des fondateurs, Apollô, Anoup et Phib. Ce dernier nom apparaît aussi sur le texte gravé, qui est la stèle funéraire d'un moine homonyme.

• Au-dessus de chaque vitrine murale ont été accrochées des *frises en calcaire*. La première présente l'extrémité d'un ruban perlé qui s'enroule autour de petits motifs : corbeilles débordantes de fruits, gazelles, oiseaux. Sur les deux autres se développe un rinceau issu d'un vase placé au centre de la frise. Les enroulements des tiges, souples et réguliers, sont d'un très bel effet décoratif.

• Sur le mur opposé ont été accrochées d'autres *frises sculptées provenant de Baouit*. Elles montrent une variété d'interprétation du rinceau végétal, dont les tiges s'enroulent en formant des cercles successifs, parfois centrés sur un fruit ou un fleuron. Ces frises étaient intégrées aux murs, dans l'église sud, aussi bien à l'intérieur qu'à l'extérieur de l'édifice.

Sous ces frises sont présentées quelques *peintures provenant des sites monastiques des Kellia et de Baouit*.

• A la suite des fouilles entreprises sur le site des Kellia par l'Institut français d'archéologie orientale du Caire à partir de 1964-1965, *quatre peintures murales* furent données par l'Egypte à la France. Les ermitages des Kellia (du grec *kellia* : « cellules ») s'étendent dans le désert libyque, à une soixantaine de kilomètres au sud-est d'Alexandrie. La première installation aurait eu lieu vers 335 sous l'autorité de l'*apa* (père) Amoun ; au cours des VIᵉ et VIIᵉ siècles, au moment de l'expansion du monachisme, le peuplement aurait atteint vingt mille à vingt-cinq mille moines. Chaque ermitage, délimité par une enceinte, était composé de plusieurs pièces distribuées autour d'une cour et d'un jardin, qui servaient de chambre, de cuisine ou de toilettes. Un oratoire destiné à la prière était pourvu d'une ou plusieurs niches orientées vers l'est ; ce sont ces espaces qui ont reçu les décors peints les plus abondants et les plus élaborés. Les pigments identifiés, d'origine minérale, ressortissent à la tradition de la peinture d'époque pharaonique. Les murs érigés en brique crue étaient lissés, puis recouverts d'un enduit sur lequel était posée la peinture ; la fresque ne semble avoir été utilisée que très occasionnellement, à l'inverse de la peinture à la détrempe, qui règne partout. Selon une coutume héritée de l'Antiquité romaine, les panneaux à décors géométriques étaient situés en soubassement ; les *deux entrelacs* qui évoquent un motif de vannerie apparaissent couramment sur les peintures et les mosaïques d'époque romaine. La *croix*, signe qui constitue le motif central de la troisième peinture du même site, est sertie de perles et de gemmes ; elle est entourée d'une couronne de lotus roses et d'un entrelacs perlé. Elle faisait pendant à une croix semblable placée de l'autre côté de la porte d'une chambre. La zone supérieure était souvent occupée par des représentations figurées, saints personnages ou animaux. Ici, le saint représenté est identifié par son nom placé de part et d'autre de son visage, *saint Ménas*. Il se tenait debout, en position d'orant, entre deux chameaux malheureusement perdus, selon le schéma utilisé sur les ampoules à eulogie.

Saint Ménas
peinture murale
les Kellia
VIe-VIIIe siècle

• Les deux grands *panneaux à décors géométriques* faisaient partie du vaste programme décoratif du monastère de Baouit (salle 6 de J. Maspero). Cette salle rectangulaire était tapissée d'une alternance de grands panneaux carrés, dont ces deux-ci font partie, et de panneaux oblongs plus petits renfermant des losanges ou striés de lignes parallèles. Il n'y en avait pas deux identiques. Sur le côté est, ce décor était interrompu

Panneau à décor géométrique
peinture murale
Baouit
VIᵉ-VIIᵉ siècle

par une niche ornée d'une figuration du Christ trônant, surmontant une Vierge à l'Enfant encadrée par les apôtres. Cette peinture est aujourd'hui conservée au Musée copte du Caire. La destination de la salle est difficile à déterminer, mais ses dimensions imposantes et le nombre considérable de graffiti, dont sont recouvertes les peintures, mentionnant des noms de personnages suivis parfois de leur lieu d'origine, pourraient faire penser à une utilisation publique (salle de réception, hôtellerie). Les peintres de Baouit ont manifestement voulu imiter les panneaux constitués de marbres et de pierres de différentes couleurs qui furent d'usage durant les époques romaine et byzantine.

• Le *grand panneau de bois* recouvert d'un réseau géométrique imitant des caissons sculptés est traversé à intervalles réguliers de perforations qui permettaient de le fixer soit sur un mur, soit sur un plafond ; en effet, les mêmes imitations de caissons traitées en peinture ornent des murs de cellules dans le monastère de Baouit, et des plafonds dans les nécropoles d'Alexandrie et l'église de Saint-Siméon à Assouan.

En se retournant, le visiteur verra deux grandes vitrines encastrées dans le mur. Celle de droite contient deux arcatures en bois du XIXᵉ siècle et les *stèles funéraires*.

Les stèles sont en calcaire ou en bois. Les unes sont des dalles rectangulaires, les autres présentent une partie supérieure cintrée. Certaines ne sont pas sculptées dans la partie inférieure, dans la mesure où elles étaient

119

Stèle funéraire de Sabek
calcaire
VIIᵉ siècle

Stèle funéraire à l'orante
calcaire
IVᵉ-VIIᵉ siècle

destinées à être enfoncées dans la terre ; on peut penser que les autres devaient être scellées directement sur la tombe. Le décor le plus courant est constitué d'un fronton triangulaire ou cintré supporté par des colonnes et évoque une chapelle ; celle-ci abrite toutes sortes de représentations symboliques comme la croix, la coquille, la couronne de laurier. Un exemplaire en bois prend la forme originale du signe hiéroglyphique exprimant l'idée de la vie. Les peignes, qui ont été découverts en abondance dans les nécropoles, pourraient sur les stèles évoquer l'idée de la pureté. L'aigle éployé surmonté de la croix peut être l'image de l'âme emportée dans les cieux, tandis que le lion, gardien des portes, repousse les forces du mal. Le personnage aux bras levés (orant) adresse une prière à Dieu, dans un geste déjà connu des païens et qui se répandit aisément dès les premiers siècles du christianisme. Des épithaphes en grec ou en copte accompagnent la plupart du temps ces représentations. Sur l'une d'elles, un père et sa fille, intimement unis par le même mouvement, ont probablement disparu ensemble ; ils ne laissent que leur nom et leur âge. D'autres épitaphes interpellent Dieu dans sa mansuétude en le priant d'avoir pitié et d'accueillir le mort dans son paradis. D'autres encore mentionnent le mois où les défunts se sont « reposés », mais bien peu, malheureusement, indiquent l'année de la mort.

• Les textiles d'influence orientale

Retrouvés dans des tombes d'Antinoé, ils témoignent des contacts existant entre l'Egypte copte et l'empire des Perses sassanides, puissant voisin de l'Empire byzantin. Le roi des rois, Chosroès II, avait d'ailleurs conquis l'Egypte en 619 et il avait fallu attendre dix ans avant qu'Héraclius ne la replace dans la sphère byzantine. Le souverain perse est figuré sur une paire de *jambières* en laine, dont l'une est exposée ici, tandis que l'autre, plus complète, est conservée au musée des Tissus de Lyon. Assis sur son trône, dans une posture frontale, il tient des deux mains son épée, qui suit l'axe de symétrie de toute la scène. Une bataille très animée met aux prises des archers et des cavaliers, qui portent le costume typique des Perses, constitué d'une tunique courte et de jambières ou de pantalons, permettant de monter à cheval. De tels vêtements ont été retrouvés dans plusieurs tombes d'Antinoé, en compagnie de somptueux manteaux en laine cachemire, rouge ou bleu-vert, ornés de larges bandes de *soieries* aux vives couleurs. Le tissage de ces étoffes nécessitait de grandes performances techniques. Quelques fragments recueillis dans la métropole égyptienne montrent l'extraordinaire travail des tisserands. La soie provenait de Chine. Son commerce a rendu célèbre la « route de la soie ». Elle était tissée dans différents centres asiatiques et byzantins. Il est difficile d'assigner un atelier de production aux pièces retrouvées. Elles ont pu être importées par de riches Egyptiens, ou par des Perses résidant en Egypte. Elles ont pu aussi être tissées au bord au Nil, empruntant les méthodes et les motifs décoratifs orientaux. La composition du décor suit les règles de l'art sassanide, qui préconise la répétition sans fin des mêmes motifs stylisés, dans les sens vertical et horizontal. Ils sont parfois enfermés dans des médaillons répartis sur toute l'étoffe. Les figures géométriques, plus ou moins compliquées, disputent la première place aux palmettes et aux animaux. Ceux-ci portent des cravates aux pans flottants et défilent dans des cortèges monotones. Réduits à des têtes affrontées, ils forment des lignes infinies de sujets identiques. Les têtes humaines sont, elles aussi, utilisées comme motif décoratif. Vus de face, émergeant d'une collerette, ces visages n'ont aucune expression. Très stylisés et toujours semblables, ils se prêtent aussi bien au décor d'un galon de soie, placé sur

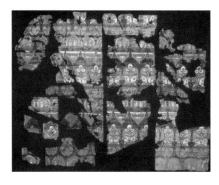

Garniture de manteau

soie
Antinoé
IIIe-VIIIe siècle

un vêtement de parade, qu'à celui d'une *grande pièce tissée en laine* pour l'ameublement. Celle-ci provient d'Antinoé. Ses fragments avaient été partagés entre le musée des Tissus de Lyon et le musée Guimet de Paris, dont la collection égyptienne fut cédée au Louvre, il y a cinquante ans. Au cours de la restauration, les morceaux dispersés ont été rassemblés, pour donner une meilleure idée de la pièce originelle. Malgré les nombreuses lacunes, la composition est lisible et le décor peut être mentalement reconstitué, puisqu'il joue sur la répétition incessante des motifs.

Très grande vitrine en face de l'église de Baouit.

• Fabrication et utilisation des tissus

– Les techniques

Les textiles coptes sont en grande majorité confectionnés en lin et laine. La laine étant plus facile à teindre que le lin, on prit l'habitude, à partir de l'époque romaine, de fabriquer des tissus en lin rehaussés d'ornementations en laines colorées. Cette pratique, d'origine orientale et fort ancienne, se répandit en effet dans le monde romain dans le courant du IVe siècle. On connaissait bien sûr antérieurement, remontant au Nouvel Empire, des exemples de tissus aux motifs vivement colorés, mais c'est avec l'abandon de la momification et un engouement croissant pour cette mode que se répandit l'utilisation de vêtements, de tentures, de rideaux, de nappes dont la somptuosité des couleurs et la variété des iconographies est toujours un sujet d'étonnement et de véritable plaisir. L'Egypte, renommée déjà dans l'Antiquité pour ses étoffes, n'avait cependant pas l'apanage de leur fabrication, car d'autres centres textiles étaient en Orient aussi célèbres

*Fuseau lesté d'une fusaïole
à crochet*

bois et fer
Edfou
IVe-VIIe siècle

Navette

bois

Peigne à tisser

bois
IVe-VIIe siècle

que les siens. C'est la faculté de son climat et de son sous-sol à conserver admirablement toutes les matières organiques qui a permis aux fouilleurs d'extraire des nécropoles un nombre considérable de textiles qui sont en fait le reflet d'une production s'étendant à tout le Bassin méditerranéen.

Un *écheveau de lin* et des *pelotes de laines colorées* illustrent l'emploi du lin écru en fond de tapisserie de laine ou de toile sur lequel s'enlèvent les décors, dont les couleurs étaient obtenues à l'aide de teintures d'origine végétale ou animale. Le filage s'effectuait au moyen de *fuseaux en bois lestés de fusaïoles en bois, en pierre ou en ivoire* ; cette opération permettait d'obtenir des fils plus ou moins fins selon la qualité des fibres ; le fileur pouvait stocker son écheveau sur une *quenouille en roseau*, objet dont les exemplaires les plus anciens semblent remonter à l'époque grecque.

Le tissage s'effectuait sur des métiers horizontaux (basse lisse) ou verticaux (haute lisse) déjà connus à l'époque pharaonique. Aux environs de l'ère chrétienne, certains de ces métiers furent perfectionnés afin de faciliter le travail du tisserand, soit en libérant ses mains (métier à pédales), soit en sélectionnant à l'avance les fils pour obtenir mécaniquement des motifs répétitifs (métier « à la tire »). Aucun de ces métiers ne nous est parvenu, aussi nous faut-il nous appuyer sur des représentations d'époque pharaonique (peintures et bas-reliefs des tombes, « modèles » du Moyen Empire) ou grecque (vases). Le passage du fil de trame entre les nappes des fils de chaîne se faisait au moyen d'une *navette*, instrument de forme allongée à l'intérieur duquel était placée la bobine de fil ; le tisserand tassait alors les fils avec un *peigne en bois* pourvu d'un solide manche et de dents sur la bordure opposée ; des *aiguilles en métal ou en jonc* lui permettaient soit de coudre, soit, en les utilisant comme des navettes supplémentaires, de marquer avec un fil de lin écru les détails intérieurs des motifs (procédé de la « navette volante »).

Des techniques particulières nécessitaient l'utilisation de métiers spécifiques. Ainsi, le plus approprié pour confectionner les galons, qui étaient ensuite cousus en applique sur les vêtements, était le métier « aux cartons » : des fils de laines colorées traversaient les perforations pratiquées dans des *plaquettes de bois*, d'ivoire ou de cuir ; c'est leur torsion qui permettait de produire le motif désiré. Les plus anciens tissages « aux cartons » ne remontent pas au-delà de l'époque romaine, et l'origine de cette technique paraît être à rechercher dans de lointains pays nordiques. Des tissus sont dits *bouclés* parce qu'ils sont constitués d'une multitude de boucles formées à l'aide de bâtonnets ; des bouclés en lin remontent au Moyen Empire et semblent être une traduction des vêtements en toisons animales (*kaunakès*) originaires du Proche-Orient.

– Les vêtements

C'est dans le courant du IIIe siècle que commence à se répandre dans tout le monde romain l'usage de la *tunique*, sorte de chemise tissée et cousue, portée indistinctement par les hommes et par les femmes. La longueur des tuniques et de leurs manches est très variable. Elles peuvent être portées avec ou sans ceinture. La texture plus ou moins épaisse indique sans doute une adaptation du vêtement aux saisons ; une tunique d'enfant à texture épaisse est même pourvue d'un capuchon. Le tissage s'effectuait en une seule pièce ou en trois parties ensuite assemblées ; une fente était réservée pour l'encolure ; dans les deux cas, les décors en tapisserie étaient le plus souvent tissés en même temps que le fond. Ils sont situés autour de l'encolure (rectangle), sur les épaules (carrés ou médaillons), sur les manches (galons) et à la partie inférieure du vêtement (galons, carrés ou médaillons). Le nombre et la disposition de ces éléments varient d'une pièce à l'autre. A partir de l'époque arabe, la tendance à la surcharge, par l'emploi de bourrelets, de franges épaisses, de laines tissées se terminant en houppes, se combine avec l'usage de tuniques entièrement en laine. De semblables compositions ornent les

Tunique d'adulte
lin et laine
V^e-VIIe siècle

Tuniques d'enfants
lin et laine
VIIIe-XIe siècle

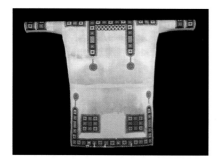

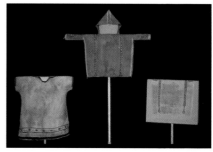

Filet de tête en « sprang »
lin

Sandales
cuir

châles dont les extrémités se terminent par des jours et des franges. Ce sont de grandes pièces rectangulaires que l'on drapait sur les épaules ou autour des bras ; les décors étaient situés aux angles ou au centre du panneau.

Dès le IVe siècle apr. J.-C., le goût pour les étoffes ornées fit de tels progrès que les tisserands n'hésitèrent pas à reproduire les images les plus variées du monde végétal et animal ainsi que les légendes des héros de la mythologie grecque et romaine, qui furent relayées par les scènes de l'Ancien et du Nouveau Testament. Les Pères de l'Eglise s'élevèrent, mais en vain, contre cette coutume, encore empreinte de réminiscences païennes.

Les femmes maintenaient leur chevelure grâce à un *serre-tête* qui était constitué d'une sorte de gros bourrelet fait de fibres enveloppées dans un tissu uni ou rayé ; un voile pouvait être fixé à ce serre-tête vers l'arrière. Dans d'autres cas, les cheveux étaient recouverts par un *filet de tête* exécuté dans la technique du « sprang ». Cette méthode de tressage de fils tendus à deux extrémités, proche de la dentelle, permettait d'obtenir des tissus à texture lâche à effet de résille.

L'habillement était complété par des *chaussures ou des bottes en cuir*. Les chaussures, sans talon, étaient, pour les plus luxueuses, ornées de décors poinçonnés et dorés. Certains exemplaires se présentent sous forme de sandales dont les lanières se croisent sur le pied ou passent entre les orteils à la manière de nos sandales modernes.

– Les tissus d'ameublement

La destination des *grands panneaux* de forme carrée ou rectangulaire, souvent remployés comme linceuls, est difficile à déterminer. Fragmentaires la plupart du temps, ils sont ornés de grands personnages en pied ou de semis de fleurs et d'oiseaux. Des textes de l'époque ainsi que des peintures et des mosaïques assurent que les autels, les murs, les portes et les entrecolonnements étaient recouverts ou fermés par des tapisseries, semblables sans doute aux pièces exposées ici. Sur deux exemplaires, le motif de la croix enfermée dans une couronne ferait penser à une utilisation liturgique.

• Dans une vitrine centrale, exposée à plat en raison de sa fragilité, la *tapisserie au Jonas* tire son nom de l'illustration d'un épisode de l'histoire de Jonas. Le prophète, après avoir fui Ninive sur un bateau, fut jeté à la mer

Tapisserie au Jonas
lin et laine
V^e-VIe siècle

par l'équipage pour apaiser la colère de Dieu ; il fut alors englouti par un monstre marin, dont il ne fut délivré qu'après avoir adressé une prière à Dieu. C'est ce dernier épisode qui a été reproduit sur la tapisserie : Jonas, identifié par une inscription, sort de la gueule du monstre en position d'orant ; la cucurbitacée sous laquelle il se reposera plus tard l'encadre de ses feuilles et de ses fruits. L'histoire de Jonas a été maintes fois représentée dans l'art chrétien, car elle préfigurait le tombeau et la résurrection du Christ. On retrouve ainsi le prophète sculpté sur l'un des tympans de l'église de Baouit (voir p. 113). Ce tissu fragmentaire fait partie d'une série de tapisseries bouclées de grandes dimensions offrant plusieurs registres de décors figurés, géométriques et végétaux. Ici une grande croix ansée voisine avec toutes sortes d'animaux, dont certains sont affrontés de part et d'autre de l'arbre de vie, selon le schéma oriental bien connu.

Table

CRÉDITS PHOTOGRAPHIQUES

© Réunion des musées nationaux,
clichés H. Lewandowski, ainsi que Arnaudet,
Blot, Hatala, Ojeda.
Exceptés les clichés © musée du Louvre,
pages 70, 79 (haut), 82 (bas), 84 (haut), 100, 104 (bas), 113 (bas),
Ch. Larrieu - La Licorne, pour les pages 28, 36, 37, 39,
45 (bas, gauche), 51, 55 (bas), 56 (bas), 72, 73, 87, 89 (bas), 91 (bas),
99, 112, 113, 116, 119, 120 (droite), 122, 124 (bas, gauche), 125, 126,
G. Poncet, pour les pages 94 et 115 et Roberta Cortopassi,
pour la page 42.

PUBLICATION DU DEPARTEMENT
DE L'EDITION DIRIGE PAR

Béatrice Foulon

COORDINATION EDITORIALE

Dagmar Rolf et Julie Bénet

RELECTURE DES TEXTES

Lucilia Jeangeot
Monique Laniesse

FABRICATION

Jacques Venelli

DOCUMENTATION
PHOTOGRAPHIQUE

Philippe Couton (RMN)
Christiane Lyon-Caen (Louvre)

CONCEPTION GRAPHIQUE
ET MAQUETTE PAO

Jean-Yves Cousseau
assisté de Bénédicte Sauvage

Les illustrations ont été gravées
par GEGM, à Paris.

Cet ouvrage a été achevé d'imprimer
en juin 2001 sur les presses
de l'Imprimerie Alençonnaise, à Alençon,
qui a également réalisé le façonnage
de la présente édition.

Premier dépôt légal : décembre 1997
Dépôt légal : juillet 2001
ISBN : 2-7118-3617-7
GG 10 3617